ちくま文庫

ゴシックハート

高原英理

筑摩書房

目次 contents

ゴシックハート

本書は二〇〇四年に初版が刊行されたので、ここでいう「現在」は、今回初めて収録された第13章以外、いずれも二〇〇四年現在である。二〇二二年に再刊するに際し、情報として補うほうがよいと判断された部分に関しては若干の註を入れ、また現在から加えておきたい件がある場合は「付」として章内節の末尾に記した。

1

ゴシックの精神

1　ゴシックハート

これから私はゴシックな意識について語ろうと思う。ゴシック建築、ゴシック・ロマンス、ゴシック・ロックから現在の「ゴス」まで、いくつかの飛躍と変質はありながらも一貫した世界を作り上げてきたのが「ゴシック」という名の感受性である。それは主義ではない。また思想や理論として構築されているのでもない。言ってみれば好悪（こうお）の体系のようなものだ。しかし自己の必然にもとづいた命懸けの好みなのだと言いたい。ロックがそうであるように、それは生き方なのだ。

ゴシックな意識と言ってはみたが、これは最も「形」に依存して示される精神のひとつである。初めから抽象的に語ることはできない。具体的な様式の特異性が内実の特異性を決めている。

色ならば黒。時間なら夜か夕暮れ。場所は文字どおりゴシック建築の中か、それに準ずるような荒涼感と薄暗さを持つ廃墟や古い建築物のあるところ。現代より過去。ヨーロッパの中世。古めかしい装い。温かみより冷たさ。怪物・異形・異端・悪・苦痛・死の表現。損なわれたものや損なわれた身体。身体の改変・変容。物語として描かれる場合には暴力と惨劇。怪奇と恐怖。猟奇的なもの。頽廃的なもの。あるいは一転して無垢なものへの憧憬。その表現としての人形。少女趣味。様式美の尊重。両性具有、天使、悪魔など、西洋由来の神秘的イメージ。驚異。崇高さへの傾倒。終末観。装飾的・儀式的・呪術的なしぐさや振る舞い。夢と幻想への耽溺。別世界の夢想。アンチ・キリスト。アンチ・ヒューマン。

こうした要素によってゴシックの精神は構成される。すべて決まっていると言うのではないが、基本になる表象・意匠・道具立てなどは相当歴史的にできあがっている。

定型詩のようなものだろうか。全く先行様式を無視したゴシックはない。ゴシックのスタイルは本質的に過去の遺産の変奏と言ってよい。ただしその過去は実のところ一度もあったことのない架空の過去だ。ゴシックは十八世紀ヨーロッパの合理主義に反発し敢えて非合理的な中世に憧れる意識の書き残した物語を起源としており、そこに語られる中世の世界とは、古い建築の印象から形成された、歴史的事実によらない幻想だからである。

定型だからと言って不自由であることにはならないし、非定型なものに比べて限界があるのでもない。また現在、先行する歴史的な形式をすべて排して新しさばかり目指すような進歩主義を信じることは可能だろうか。ゴシックはこの種の進歩主義を強く敵視する。勢い、大抵の流行にも懐疑の視線を向ける。明るさ若さや愛ばかり望む風俗には反発する。

だから、明日は今日より幸せであるとか、人間精神は改良できるとか、人は平等であるとか、努力すれば必ず報われるといった言葉を信じられなくなったとき、すなわち近代的民主的価値観が力を失ったとき、ゴシックはその魅力を発揮する。たとえば貧富の差が拡大し、富む奴は常に富み続け、貧しい者はそこから脱け出す術がない、不合理不条理な制度が全く改まらない、社会的階級がはっきりし、立場のよい者が好き放題に弱者を苛み、やられる奴はやられっぱなし、しかもそれを変更する手段がない、そのため憎悪と軽蔑が剝き出しになり、よりひどい偏見が拡大し、排他的な民族主義や帝国主義が自らを正義と主張し続け、そこから発する暴力を多数が支持している二〇〇四年現在だ（註：そしてそれは本書再刊の年である二〇二二年現在も変わっていない）。

こういう場で単純に明るい未来と人類の善性を信じられる人がどれだけいるだろう。現実の制度の多くが優位者のためのものであることは既に見透かされている。

そして実のところ、現実社会という「誰かのための制度」を憎み、飽くまでも孤立したまま偏奇な個であろうとするゴシックは、そういうクズな世界での抵抗のひとつなのである。

2　ゴシックの歴史

建築の世界でゴシックと言えば「中世風の石造建築」という意味である。ロマネスク建築の後に発明され、尖頭アーチを利用した石造りの高い柱と塔を持つ複雑華麗な建築をさす。

また美術史には「ゴシック美術」という項目もあるから、建築に限定せず、広く「中世風の意匠」として「ゴシック」を考えることもできる。

さらにこれが文学の世界へ来ると「ゴシック・ロマンス」となり、中世への憧憬を動機として書かれた十八世紀～十九世紀の怪奇小説の類をさすということもさほど説明の要はあるまい。

その物語群のとりわけ初期のものは確かにゴシック建築によってインスパイアされたものらしく、ゴシック・ロマンスと建築のゴシックとの関係も密接だった。

ではゴシック・ロマンスとは何か、と問われるとなかなか明確に定義しにくい。具体的にはホレス・ウォルポールの『オトラント城綺譚』（平井呈一訳の表題による。井出弘之による新訳では『オトラントの城』）から始まる、中世風の古城や修道院、古い屋敷、廃墟、納骨堂、地下迷路といった閉ざされた場所を舞台として、悪魔・魔女・吸血か。

鬼・呪われた人造人間・獣人・怪物・亡霊・分身・暴君などが登場し、悪・暴力・死・惨劇・狂気・陰謀・瀆神・流離・超自然などが描かれる小説、ということになるだろうか。

ただ特徴と言ってもこれは『オトラント城綺譚』以後続々と書かれたゴシック・ロマンスの代表作に含まれる要素を並べてみただけだ。以後書かれたというのは、クレアラ・リーヴの『老英男爵』、ウィリアム・ベックフォードの『ヴァセック』、ウィリアム・ゴドウィンの『ケイレブ・ウィリアムズ』、アン・ウォード・ラドクリフの『ユードルフォの謎』、マシュー・グレゴリー・ルイスの『マンク』、チャールズ・ブロックデン・ブラウンの『ウィーランド』、メアリ・ウルストンクラフト・ゴドウィン・シェリーの『フランケンシュタイン』、ジョン・ウィリアム・ポリドリの『吸血鬼』、チャールズ・ロバート・マチューリンの『放浪者メルモス』、ジェイムズ・ホッグの『悪の誘惑』、エドガー・アラン・ポオの『アッシャー家の崩壊』などなどだ。これらに、その影響から生まれた、エミリ・ブロンテの『嵐が丘』やジョゼフ・シェリダン・レ・ファニュの『吸血鬼カーミラ』、ブラム・ストーカーの『吸血鬼ドラキュラ』などを加えるとおよその像が見える（『カーミラ』『ドラキュラ』は文学史上ではジャンルとしての「ゴシック・ロマンス」がほぼ終了した後の新たな「怪奇小説」とされる。が、いずれもポリドリによる『吸血鬼』の発展形であり、かつ現在のゴシック的小説への影響の大きさ、またゴシック的な文化を語るさいに言及されることの多さから『フランケンシュタイン』に並ぶ「元祖」として敢えてここに含めておく)。なお日本では小栗虫太郎の『黒死館殺人事件』が最もゴシック的な小説と言える。

その中、起源であるところの『オトラント城綺譚』についてまず簡単に紹介しておこう。

中世イタリア、オトラント城主マンフレッドにはヒッポリタとの間に美しい娘マチルダと病弱な息子コンラッドがいた。城には祖父王に与えられた予言が伝わっており、それはオトラント城と君主権は真の所有者が城に入りきらないほど巨大になったとき現在の一族の手を離れる、という異様なものであった。マンフレッドはヴィチェンツァ家の跡取り娘イザベラとコンラッドとを結婚させようとしたが、婚礼当日、コンラッドは巨大な兜の下敷きとなって死んでいるのを発見される。マンフレッドは、その犯人として一人の若い農夫セオドアを捕らえた。息子を亡くしたマンフレッドは跡継ぎを望み、その見込みのないヒッポリタを離縁してイザベラと再婚しようとする。すると怪奇な現象が起こり、亡霊が出現する。イザベラは地下道を通り、城に隣接する聖ニコラス教会へ逃げるが、途中、捕われたところを逃れてきたセオドアと会い、逃亡を助けられる。この青年は、かつて祖先の時代、善王と称えられたアルフォンソの像と生き写しであった。

しだいにセオドアの出自があきらかとなり、彼はかつてのファルコナラ伯、今は聖ニコラス教会の神父ジェロームの子であることが知れる。そこへ、死んだと思われていたイザベラの父フレデリック侯が預言者からあずかったという巨大な剣を持参して現われる。セオドアが娘を助けたことを知った侯の口ぞえによりセオドアは赦免される。そのうちにイザベラはセオドアを愛するようになる。一方セオドアはマチルダとの結婚を望む。マンフレッドはフレデリック侯にマチルダとの婚姻をすすめ、自分はイザベラと婚することを提案、いったん承諾を得る。そうしたマンフレッドの、城の所有継続のための企みがなされるたび、城には怪異が起こり続ける。マチルダは今は親友となったイザベラのため、暗闇でセオドアと密会していたところ、それをイザベラと思い込んだ父マンフレッドに刺され、死ぬ。このとき雷鳴とともに地面が揺れ壁が崩れ、巨大なアルフォンソ王の幻影が現われ、セオドアこそ自分の血をひく真の世継ぎであると告げ、昇天する。息子と娘を失ったマンフレッドは、祖父がアルフォンソ王を毒殺し、遺言を偽造して王位を得たこと、その罪を自分がつぐなわねばならなかったことを知り、退位してヒッポリタとともに僧院に入る。その後、セオドアはイザベラと結婚する。

いわゆるお家騒動をもとに、怪奇な現象、予言、暴君、美女、勇士などを配した物語である。現在から見るとそれほど恐ろしい話ではないし、後のゴシック・ロマンスほどは人間の悪に迫ってもいないが、ただ、兜や亡霊の度はずれた巨大さというのが特徴的で、それらは当時の、人間を超越した「崇高」の美意識がもたらしたものと思われる。

この後、特に「ゴシック世界」を規定していったのは『マンク』と『フランケンシュタイン』、そして『吸血鬼ドラキュラ』だろう。後二者は何度も映画化され、そのときの吸血鬼やモンスターのデザインがいわばクリシェとなり、ゴシック・ファッションの原形ともなった。これには映画上での演出の力が大きい。今でも吸血鬼ドラキュラと言えばベラ・ルゴシとクリストファー・リーが演じたそれが典型とされるし、そこで彼らが着用していた黒いマントと礼服はひとつの定型となった。一方ボリス・カーロフの演じたフランケンシュタインのモンスターの容姿・身なり・しぐさはゴシック的人造人間の定型である。

これら以外には映画『エクソシスト』で描写された悪魔と神父の戦いなどもゴシック的だが、こちらは『マンク』の伝統にある。ルイスの『マンク』は古い修道院と地下墓地を舞台に、破戒僧の近親相姦から地獄落ちまでを描いた小説だ。

「ゴシック世界」では平穏な日常を危うくする恐ろしいものが暗い場所から現われる。それは悪魔であったり吸血鬼であったり人造人間であったり亡霊であったりするが、いずれも日常的でない、市民的でない、何をするかわからない、夜の世界つまりは無意識の世界からやってくる。そして無制限な暴力をふるい、社会的な倫理を無視して無残きわまりない行ないを続けて行く。このあたりが後にパンクに受けた部分に違いない。

あまり意識されていないかも知れないが、ゴシック・ロマンスには作者が十代から二十代の頃に書かれたものが多い。『ヴァセック』はベックフォード二十六歳のとき、『ウィーランド』はブラウン二十七歳、『吸血鬼』はポリドリ二十四歳、『マンク』はルイス二十一歳、『フランケンシュタイン』はメアリ二十一歳のとき刊行された。ただしベックフォードは二十二歳で『ヴァセック』を書いたことがわかっており、『マンク』脱稿のさいルイスは十九歳、また『フランケンシュタイン』の執筆開始はメアリ十八歳のおりとされる。どちらかと言えばこれらは当時の若者の文学だったのだ。しかも「良識」からは憎まれるセンセーショナルな内容を持つ。

結果として「神の勝利」「正義の勝利」に終わるよう書かれた話がほとんどだが、しかしそこには根強い悪の賛美がある。アナーキーな暴力を描き偽善的な市民意識を脅かしたいという動機が見られる。予め正統と教えられ多数が当然とする価値と序列を疑い、それが抑えつけているものを見出し、ときにその転覆を願う、ネガティヴなものへの共感なしには書かれなかった物語だ。

もともと「ゴシック」とは「ゴート族風の」という意味からきているもので、ゴート族とは四世紀にローマ帝国へ大移動してきたゲルマン人の部族のひとつ。最も野蛮で残酷だったという。つまり「ゴシック」には最初から「野蛮・残酷」の意味があった。これが建築様式の名となったのは、ルネサンス期の人々がそれを「野蛮」と蔑んだことからきているとされる。ルネサンスとは中世的なものを否定する思潮だったのだからその時代の建築に美を見出すわけもない。そして蔑称がひとつの流派の名となることがあるのは絵画の「印象派」と同じだ。

ただ歴史的な視線とは別に、ゴシック建築の巨大さと鋭さを見て素朴に畏怖もしくは恐怖を覚える意識があったとしても当然だろう。小泉八雲の随筆に『ゴシックの恐怖』というものがあり、そこで彼はゴシック建築の与える恐ろしげな印象を語っている。

こうして「ゴシック」は中世・過剰・暗黒・野蛮・恐怖といった意味を含みつつ流布したわけである。

「中世は暗黒時代」というのはかつての史観による歴史解釈に過ぎず、現代の西洋史学では否定されつつあるようだが、長らく欧米で中世を暗黒時代と捉えてきたとすれば、近代的な合理主義や啓蒙主義への反発として「暗黒時代だからこそ憧れる」という層があったとしてもおかしくない。そして、緻密な歴史研究の成果によってではなく、実際の中世より遥か後の時代に書かれたフィクションのイメージによって再現された「暗黒の中世」、それがゴシック・ロマンスの起源となった。

この不思議でエキゾティックな文化を日本に伝えてくれたのが、古くは随筆『サバト恠異帖』や翻訳『吸血妖魅考』の日夏耿之介であり、より直接には『オトラント城綺譚』と『吸血鬼ドラキュラ』の翻訳紹介者平井呈一である。

ただ、現在私たちが抱くゴシックのイメージはゴシック・ロマンスだけによるのではない。身体改変・死体・廃墟・多型倒錯といったテーマは既にゴシック・ロマンスにも含まれていたが、それをさらに徹底した形として、サド、バタイユらの無神論ポルノグラフィー、シュルレアリスム、時にはSFからもその核となるものが提供されている。とりわけ澁澤龍彥と中井英夫の書き残した思考／嗜好はゴシックのイメージに多大の影響を及ぼした。

3　現在のゴシック

ゴシックのセンスをもとにして、現在「ゴス」と呼ばれているスタイルがある。「GOTHIC　ゴシック」が簡略化されて「GOTH　ゴス」となった（ただしGOTHICはもともとGOTHの形容詞形なので名詞に戻ったようにも見える）のだが、具体的にはある種のロックから始まったカルチャーがゴスで、そのあたりに詳しいLUV石川氏によれば（ペヨトル工房刊『yaso　夜想――＃特集　ゴス』掲載記事から）、イギリスのバウハウスとジョイ・ディヴィジョン、スージー・アンド・ザ・バンシーズ、シスターズ・オブ・マーシー等、そしてアメリカのマリリン・マンソン、日本ではＸ　ＪＡＰ

ANとマリスミゼルが「ゴス」を伝道した代表的なアーティストとのことである。それらからゴシック・パンクとゴシック・ロリータと言われるファッションあるいは主張が発生した。なお「ゴスロリ」はマリスミゼルのManaが「エレガント・ゴシック・ロリータ」として提唱したコンセプトに端を発すると言われる（ただし、より厳密な発祥には諸説ある）。さらに八〇年代からのホラー映画とホラーノヴェル、四谷シモンや天野可淡らの人形、ゴットフリート・ヘルンヴァインの写真、丸尾末広、楠本まき、三原ミツカズらの漫画などが細部を補強していった。これらから生まれた非日常的で過剰な装飾による白黒のファッション、サディズム・マゾヒズム、人形嗜好、自傷願望、死への接近、暗黒と頽廃への好み、といったイメージが日本のゴスである。

そこにはゴシック・ロマンスのような文学の伝統も直接は関係ないし、悪魔、魔女、吸血鬼とかフランケンシュタインズ・モンスターの形を真似ることはあってもそれほど原典を知ってのものではない。だがスピリットは同じだ。光より闇が気になる、正統より異端、体制より反体制、反時代、ただしそこでは様式美が何より重要、といって誰もが真似するいわゆるイケてるスタイルには興味なし、ホラー・怪奇・残酷さなどに強く反応する、自分を異形と感じる……といったところ。

ここではやや限定的な「ゴス」という呼び方はせず、より広い意味で「ゴシック」と言うことにする。とはいえどちらもゴシックハートの表われであることに変わりはない。

また、現在、音楽はその重要な要素だが、ゴシックの思考を語るにはやはり言語化・映像化された部分によらねばならないだろう（音楽に特化した論考はまた、より詳しい方に期待する）。

よって本書ではゴシック的思考のための例として文学・絵画・写真・映画・漫画を中心に見てゆきたい。

2

人外(にんがい)

1 「人外」の心——中井英夫、江戸川乱歩

人外（にんがい）というと人倫に外れた人でなし、人非人、あるいは人交りのならぬ下賤な輩（やから）と解されそうだが、この言葉にはもう少し自分で自分の優しさ悔しさを身に沁みて知っているニュアンスがあり、誤って地上に生を承（う）けた思いの強いひとほど共感する言葉であろう。

（エッセイ集『地下を旅して』所収「人形への惧れ」より）

中井英夫はアンチ・ミステリ『虚無への供物』や幻想小説集『とらんぷ譚』で知られるが、その最初の作品集に推薦文を寄せた澁澤龍彦によって、ゴシック・ロマンスには一家言ある人、としても紹介されていた。

ここからは内面的な問題としてのゴシックな自己像について考えてみたい。

そこで特に用いたいのは、中井の告げた「人外（にんがい）」という語だ。

前掲部に続けて中井は「ここにいう優しさもまた原義の身の細る思い、ないしは恥ずかしさ、みっともなさをいう」と加え、さらに江戸川乱歩の『影男』冒頭あたりに用いられたその語を引用している。それはボロをまとったアル中の五十男によって発される

言葉であった。

「ほっといてくれ。おれは人外なんだ。人外とは人間でないということだ。お前さんにゃ分かるまい」

（中略）

「そこいらのみんな、聞いてくれ。人外というものを知っているか。ここにいるおれがその人外だ。人間の形をして人間でない化けもののことだ」

これを見ると江戸川乱歩にはとてもゴシックなセンスがある。だがそれは整合性をもった態度としては考えられていない。たとえばこの場面でも、悲しくもおぞましい「人外」であることを、そうでない普通人の皆の衆に訴えかけてどうなるというのだろう。ここではただ、どう見ても単に社会から落伍した凡人でしかない男が自己の価値をこういう負の形で主張しているだけにしか見えず、しかも、その価値などあなたたちにわかるまい、という言葉を他者に聞かせようとするのはただの甘えだとも言える。もちろん乱歩はこれを都会の一風景として書き添えただけで、読者にこの男の価値を認めさせようとしているわけではないが、しかし、だとすればわざわざ「人外」と言わせるのは何か過剰で、そこには乱歩の、「人間」を降りてしまおうとする者への密かな共感があってのことだろう。つまりこの言葉は、いかに普通らしく暮らしていても、実のところヒューマンなものに背を向けたいと感じてやまない「人でなし」を志向する自身の、他人の言葉を借りての自覚なのだ。人形愛をテーマにした『人でなしの恋』の作者らしく、である。なお、その題名にある「人でなし」は一般に言われる「薄情・人としての値打ちもない悪人」といった意味ではなく「人間の世界の外に目を向けてしまう異端者」を意味していた。

中井英夫の言葉に戻れば、これは乱歩が脇見をしながら語った片言を真正面に見詰めて語り直したものと言える。だがこれさえも、声高に語れば乱歩描くアル中男と同じ矛盾を演じてしまう。自らを、人の形をしながら人でないと感じるにしても、それは秘められた内なる悲哀としてのみあるはずで、他者に向けて主張する理由はない。むろん中井はそのことがわかっていたから「身の細る思い、ないしは恥ずかしさ、みっともなさ」と言い添えているのだ。

「人外である自己」を感じる、とは決して他者に誇示できることではなく、ただひたすら何かを欠落させた「人交はりのならない身」（これも人外の心を多く描いた人、三島由紀夫による『仮面の告白』から）である自己をうとみ、一方でそれにもかかわらず自分も人間の限界内にしかないことを恥じ、絶望する心の動きである。

まずあるのは自分が十全な人間になれないことへの無念の自覚だ。だが同時に、ただ人間であるだけでは満足できず人間以上の何かを求めてしまう自己のどうしようもなさへの嘆きをもそこに見たいと思う。後の方の自覚からは人間的ななまぬるい情感と感情吐露を厭い、鉱物のような永遠性を持つものに憧れるといったドイツ・ロマン派的想像が生まれてゆく。

2　フランケンシュタインズ・モンスターの「人外」

中井によれば「誤って地上に生を承けた思いの強いひとほど共感する」という「人外」の心は、やはり『フランケンシュタイン』のモンスターの言葉として考えれば納得がゆく。次がそれである。

『おれが生を受けた日こそ憎まれてあれ！』と、おれは苦悩のあまりに絶叫した。『呪われたる創り主よ！　なぜおまえは、自分でも嫌悪を感じて顔をそむけるほど、それほど醜い怪物を作ったのだ？　神は、あわれんで、人間を美しく、魅力的に、ご自身の姿に似せてお創りになった。だのに、おれはおまえの姿にきたならしく似せられてあり、似ているからこそ、いっそう恐ろしくさえある。セイタン（註：サタン）には、悪魔同士のつれがあり、賞讃や激励を与えてくれた。が、おれは孤独で、毛嫌いされているのだ。』

（臼田昭訳）

怪物が自分の創造者ヴィクター・フランケンシュタインにその責任を追及するところである。語りかけられている「おまえ」とはフランケンシュタインその人をさす。

今更言うまでもないことだが、「フランケンシュタイン」というのは人造人間を造りだした科学者の名前であって、造られた者の方には名前が与えられておらず、怪物、としか書かれていない。よってフランケンシュタインのモンスターと呼ぶ以外に彼をさす言葉はない。

名さえ与えられなかった人造人間は、フランケンシュタインによって複数の死体の器官をつなぎあわせ、特殊な電気を通すことで生を与えられたものの、創造者自身に捨てられ、荒野を彷徨うこととなったのだった。

しかし彼は、さまざまな経緯から言語を覚え文字を覚え、人間社会と歴史に関する知識をも得、思索することを知り、偶然所持することとなったゲーテの『若きウェルテルの悩み』、プルタークの『英雄伝』、そしてミルトンの『失楽園』を読み、今や知的には優れた存在であるばかりか、普通人と変わらない感情を持つ。

なお、メアリ・シェリーによる『フランケンシュタイン』は、映画としてはよく知られているが、往々にして原作と微妙に異なるストーリーであるので確認の意味から原作を簡単に紹介しておく。

北極探検に来ていた語り手は、そこで氷山に乗って漂流する男性を助ける。彼の名はヴィクター・フランケンシュタイン。ジュネーヴの名門の出であるという。彼の告白が以下続く。ヴィクターは大学で科学を学ぶうち、生命誕生の神秘に憑かれ、自ら新たな生命を造りだそうと考えるに至る。人間の死体を掘りおこしてきてつなぎ合わせ、遂に人造人間を完成するが、それはひどく大きく醜悪な怪物であった。その外見に怖れをなしたヴィクターはこれを置き去りにしてしまう。捨てられた怪物は森に隠れ住み、自力で衣食住を確保し、さまざまな経験を積みつつ情緒的・知的に成長する。だがその醜さにより彼を見た人々からはひどい迫害を受ける。怪物は怒りと絶望から彼らの住居に火を放ち、このような自分を捨てたヴィクターへの復讐を決意する。彼は偶然出会ったヴィクターの弟を殺し、その子守である純真なジュスティーヌに疑いがかかるよう細工する。ヴィクターは自分の造りだした怪物が犯人だと直感するが自らの責任を回避し、ジュスティーヌが無実の罪で処刑されるのを放置する。遂に怪物はヴィクターのもとへ現われる。怪物はヴィクターに「親」としての責任を追及し、ヴィクターもその正当性を認める。そこで怪物は伴侶となる女性の創造を要求し、それがかなうなら人間の土地から離れて住むことを約束する。ヴィクターは要求をのみ女性の人造人間を創造しようとするが、しかし邪悪で醜悪な怪物が増殖することへの怖れから結局怪物との約束を破り、女性の人造人間を未完成のまま海に捨てる。怒った怪物はヴィクターの親友クラーヴァルを、次いで結婚相手エリザベスを殺す。ヴィクターはこれを憎み、怪物を自ら葬ろうと追跡を始める。怪物は故意に逃亡の跡を残し、それを追ううち、ヴィクターは北極までたどり着く。そしてまさに怪物に追いつこうとしたとき氷が裂け、そのまま漂流していたのだった。この告白を終えたヴィクターは語り手に怪物の抹殺を託して死ぬ。語り手はこれ以上の危険な北極探検を断念することにした。そこへ怪物が現われ、自分は死ぬつもりだと告げて去るのだった。

途中、人造人間による告白を伝える部分もあるのだが、それを読んでゆくと、彼は単に容姿が飛び抜けて醜いとされているだけで、内面はごく繊細な存在であることが感じられる。

悪いのは彼を見ただけで石を投げる人々の方であるとしか思えず、また創造主ヴィクター・フランケンシュタインには、君、責任を果たせよ、と強く言いたくなる。

先の引用部分「おれが生を受けた日こそ憎まれてあれ!」とはまるで旧約聖書の「ヨブ記」にあるヨブの言葉のようだ。教養深い作者はこれを意識していたに違いない。神と悪魔との論争の都合で、全く罪もないのに財と家族を失い全身腫物だらけにされて見捨てられ、呻吟し続けたヨブの言葉はあらゆる「人外の叫び」の始まりだ。聖書ではかろうじて最後の最後で神がヨブを救うが、そもそも神の方が悪いのではないか！　と、キリスト教信者でない私ははっきり言いたい。

『フランケンシュタイン』でも創造者こそが間違っている、と思わせるところは同じである。

ただし後に彼・怪物の犯す殺人は罪もないヴィクターの弟に対してであるし、さらにそれがこれまた全く罪のない養育係ジュスティーヌに冤罪を着せることになって理不尽は連鎖する。しかし、最初にヴィクターが怪物を捨てさえしなければ彼はそんなことをしなかったのだし、ヴィクターはジュスティーヌの冤罪を晴らしてやることができるのにそれをしないのである。

現代の私たちは、いかなる生まれと容姿であれ、自他を冷静に見ることのできる知的な存在に対し、怪物とは言うまい。だが『フランケンシュタイン』が刊行されたのは一八一八年、イギリスでは身分制がまだ堅固だった時代だ。ルソーの『社会契約論』などの著作は既にあったものの、人間とも思えないような存在のために平等とか人権とか言い出しても聞く人はなかっただろう。まして、（迫害者たちはモンスターの出自を知ってそれをしたわけではないが）キリスト教文化の中で「神の祝福しない生」をうけた者に容赦はなかったとしても不思議はない。

この物語にわれわれから見て時代的な視野の制限があるのは仕方ない。にもかかわらず、メアリはこの怪物をただ忌むべき者としては描かなかった。それは物語のちょうど真ん中あたりに怪物の一人称による語りをはさんでいるところによく表われている。作者は怪物自身にその無残な経歴と悲痛な感情を語らせた。結果として酷い虐殺を繰り返す怪物が、知性感情ともに優れた、環境さえ違えば確実に殺人鬼にはならなかった者であることが示されている。

ただし、今なら単に容姿によって差別迫害された者の悲嘆と復讐の記録とも読める『フランケンシュタイン』の怪物の言葉は、そもそも、人間ではなく呪われた怪物に生まれてしまった意識の言葉として読まねばその本当の悲劇がわからない。彼・怪物は飽くまでも人造人間という「真の人間ではない出来そこない」という位置に置かれ続けている。読めば彼の意識はわれわれと変わらない。ところが、この物語にあって怪物は最後まで本当の人間と認められることはないのだ。

ここに私たちと質的に異なった感じ方があることを指摘したい。

もっとわかり易く言えば、知性感情は人間のまま、人間とは似ても似つかない、遺伝子さえ異なる醜悪な獣か何かにされてしまった者として彼を考えることが必要だ。

それでこそ「人外」という語が生きる。フランケンシュタインズ・モンスターの情動は、「人間と同じ意識を持ちながら遂に人間になれなかった者」のそれである。

知られるとおり、この発想は後にSFに引き継がれた。ウェルズの『モロー博士の島』やヴァン・ヴォークトの『スラン』からディックの『アンドロイドは電気羊の夢を見るか?』にまでいたるミュータントもの・ロボットもしくはアンドロイドものがそれだ。

ロボットの物語なら、たとえば日本ではおそらく最もポピュラーな手塚治虫の『鉄腕アトム』もまたこれと同じ位相にあることがわかるだろう。こちらはお茶の水博士という庇護者もおり、目覚ましい手柄によって人々に歓迎されもするが、しかしその出自は、事故で死んだ少年トビオの代用として作られたものの、いつまでも成長しないことを理由に創造者天馬博士から捨てられ売り飛ばされたロボットだった。アトムはその後も幾度となく機械であることを理由に差別軽蔑される。

さらに、私には『妖怪人間ベム』というアニメーションが思い出される。どこかの実験室で生まれた人工の細胞が三つに分かれて増殖し、できた異様な生物、ベム・ベラ・ベロ。彼らは悪魔のような姿をしているが人間以上に優しく正しく賢く、また人間以上の能力を持ち、魔物に狙われた人々を救い続ける。いつか本当の人間になれることを信じて。彼らは普段、変身能力によって人間と同じ外見をしているが、魔物と戦い能力を発揮するときはもとの姿にならねばならず、その姿を見た人々は彼らを怖れ、迫害し、逃げる。彼らによってその命を救われた人々でさえだ。最終回、彼らは遂に人間になる方法を知る。だがそれは他の人間をとらえ殺し、その肉体に自分たちの魂を移し替えるというものだった。自分たちのために人を殺すことを肯んじ得ない三人は自ら炎に身を投じる。

こういう淋しい悲しい、孤立無援の心、仲間を求めて得られず、人であろうとしても他者は誰一人それを認めない、そんな様相を変更不能と自覚した心が「人外」である。だがそれも悲しい可憐な部分を強調した場合で、これだけが「人外」を成立させるのではない。あとの半分に、どうにも人でいられない忌まわしく凶暴な性格がある。

フランケンシュタインズ・モンスターの場合ならばそれこそ無残で暴力的な、復讐する怪物のそれだ。『鉄腕アトム』や『妖怪人間べム』にこちらは反映されなかった。それゆえ純粋に正しい受難者なのだったが、フランケンシュタインズ・モンスターは違う。自らの手を血で汚してしまう。彼は無辜の者を殺し続けたことにより受難者の資格を失う。いかに同情に値するにしても、後半の彼はもはや誰が見ても恐ろしく悪魔のような怪物である。

この怪物性あってこそゴシックはその衝撃力を発揮する。そして、冷酷・残忍・凶暴、というその面は、人間が人間を越えてしまったところのものとして想像されている。それは日常にいる私たちにない超越性であり、人間性を踏み躙ってやまないこの悪の超越性をもゴシックの心は求めている。

つまりフランケンシュタインズ・モンスターとは人間以前であり人間以上であるが人間そのものではない者、ということだ。これを「人外」と呼ぶのである。

3 吸血鬼の「人外」

人間を越えてしまう、という想像は、ニーチェの「超人」にも通じるものであり、ニーチェ自身、「超人」は凡人のように人間的な（つまり弱く嫉妬深く情けない）感情は持たないという。むろんそれは本来の「健康」を持ちいかなるニヒリズムにも耐え得る肯定的な自己の理想として非人間的であるということなのだが、もっと具体的なあるいは直接的な「非人間性」への憧れが負の形で形象化されたとき、たとえば吸血鬼が描かれる。

フランケンシュタインズ・モンスターには限りない孤独の悲しみがあったが、現在われわれのいだく吸血鬼像には選ばれた者の傲慢と冷酷さがつきまとう。

ただし文学的に造形される以前の吸血鬼というのは、もともと東欧に伝わった悪鬼のことだった。食屍鬼と変わらないものとされている地方もあるらしく、現地で語られてきた「ヴァンパイア」とは永遠に死ねないまま墓地を彷徨うゾンビに近い、穢れた、ひたすらおぞましい存在である。

本来汚く醜く、忌まれるだけのそれを、魅力的な美貌の貴族として描いたのがジョン・ポリドリである。詩人バイロンの侍医であった彼の描くヴァンパイア、ルスヴン卿（註：平戸懐古による新訳では「ラスヴァン」）には当のバイロンを念頭に置いて書かれた部分があるという。

『吸血鬼』はおよそ次のようなストーリーを持つ。

早くに両親をなくし妹と二人暮しの青年オーブリーは、莫大な財産を管理人にまかせ、自由に暮している。彼は社交界には失望したが、ルスヴン卿という人物に出会い、憧れて共に旅に出る。容姿もよく魅力もあるルスヴン卿はしかし、悪魔的なギャンブラーで、弱者からはすべての金をまきあげ、一方、金持ちには勝負で負けてみせ、親しくなった後、悪の道に引き込んで破滅させる。後見人からの手紙でルスヴン卿の女性に関する悪事を知らされたオーブリーは彼のもとを離れる。オーブリーはギリシアへ赴き、そこで美しく素朴な女性アイアンシーに恋をする。そしてアイアンシーから人の生き血を吸って長生きするという吸血鬼の話を聞かされるのだが、その容貌はどうもルスヴン卿に似ているのだった。その後アイアンシーは森で何者かに喉を嚙まれて殺される。オーブリーも絞め殺されそうになり、高熱を出して寝込む。そこへルスヴン卿が現われ、親切に看病をしてくれた。オーブリーは内心怖れつつも再び二人で旅を続けることにする。旅の途中、山賊に襲われ、ルスヴン卿は撃たれる。彼はオーブリーに「一年と一日が過ぎるまで自分が死んだことを他人に告げるな」と言い、オーブリーは固く誓う。ところが山頂に運ばれた筈の遺体は消えてしまっていた。帰国したオーブリーはロンドンでマースデン伯を名乗っているルスヴン卿を見て驚愕する。しかし誓いを破って彼は吸血鬼だと告げても誰も信じず、狂気を疑われるだけと思い、苦悩のあまり病床に就く。その間に妹がルスヴン卿に連れ去られる。オーブリーは後見人にすべてを語り、死ぬ。後見人が後を追ったが、妹は殺され、既にルスヴン卿の姿はなかった。

この小説『吸血鬼』が発表されて以後、吸血鬼は暗黒の貴公子となった。肌こそ死人のようであるものの容姿は整い、社交界で人気者として遇される。その裏では悪辣な手口で他者を陥れ、財を奪い、また女性を襲う。そして血を吸い、殺す。

周囲の人間をことごとく破滅させる、残酷で恐ろしい魔物である。極悪の存在だ。しかしその在り方はフランケンシュタインズ・モンスターと異なり、いかに悪が強調されても、もともと卓越した存在として描かれている。周囲の他者が彼を厭わず、そればかりか憧れさえするからだ（ただしポリドリの小説より後に書かれる吸血鬼ものは必ずしも優越者とだけは言えず、追われる者の意味も生じる）。

吸血鬼はまたノスフェラトゥとも言い、その意味は「不死者」である。キリスト教圏にあって不死者とは永遠に神の国に入ることを拒絶された悲惨な者でもあるのだが、われわれから見れば不死はむしろ羨望される。不死でかつ他者を犠牲にして生き続ける者とはキリスト教的には絶対悪だが、そろそろ無神論も囁かれ始め、ニーチェ的な超人を望む潜在的な志向もあったためだろうか、ポリドリはそこに人間（としての平民）の辿り着けない超越的な優位者を見ていたようである。

辺境の地の土俗的妖怪であった吸血鬼のイメージが完全に反転したのは、ポリドリによるこのイギリス初の吸血鬼小説からなのだ。

その描写は、貴族であり天才詩人と呼ばれスキャンダラスな女性関係を誇る社交界の花形であったあるじバイロンへの、貴族でなかったポリドリの屈折した感情が促したものでもあるだろうか。また、貴族の勢力が最大だった頃には、彼らは実際にためらいなく平民から財を奪い自らのものとし生涯遊び暮らし、またときに平民の幾人かを殺しても罪に問われることはなかった。こういう意味での吸血鬼は確かに実在した。そして後の世から見ればそれは神話伝説上の人物のようでさえある。

その権力者の末裔の一人に付き従っていた平民ポリドリ作の『吸血鬼』によって、それまでの吸血鬼伝説になかった吸血鬼＝貴族という図式が新たに導入されたのだ。

この作のずっと後に書かれるブラム・ストーカーの『吸血鬼ドラキュラ』（一八九七

年）では美しさや魅力という要素は示されていないが、ドラキュラ伯爵はやはり大貴族として登場する。吸血鬼＝貴族という連想ではポリドリのそれを踏襲しているのだ。

ところで『ドラキュラ』のモデルとなったのはルーマニア・ワラキアの君主ヴラド・ツェペシュ公（ヴラド三世）である。一四三〇（一説に三一）年に生まれ、一四七六年に暗殺されている。だが吸血鬼それ自体には関係がなく、ばかりか、現在のルーマニア人からは政治・軍事における偉大な指導者との歴史的な位置づけがされているという。ただ、トルコとの戦争での敵兵や敵対者への処刑が甚だしく、非常に多くの捕虜や敵を、先の尖った丸太に突き刺し殺し続けたことからヴラッド串刺し公とも呼ばれた。それがさらにドラキュラと呼ばれるようになったのは父王ヴラド・ドラクルの呼び名（ルーマニア語で「ドラクル」は龍を意味する。ときに龍は悪魔の意味でも用いられたが、もともとの「ドラクル王」の呼び名はドラゴン騎士団に所属していたことによるらしい）からの転用とも、ドラクルの息子の意味からとも言われる。いずれにしてもこの君主を吸血鬼の元祖としたのはブラム・ストーカーによる完全なフィクションである。だがその、強く賢く残酷な存在、という意味は史実から受け継がれた部分でもあるようだ。

これら吸血鬼ルスヴン卿からドラキュラ伯までの人間を超越した貴族性、そして「恐ろしい父親」の面を受け継ぐ現代のヒーローとして、トマス・ハリス作『レッド・ドラゴン』『羊たちの沈黙』『ハンニバル』に登場するハンニバル・レクター教授がいる。超絶的に知能が高く教養深く常に冷静で行動力に富み、独自の倫理を持ち、それに反する者はためらいなく殺し人肉を食う悪魔的なこの人物像には確実に、「吸血鬼＝貴族」という形で続いてきた超人への憧れが反映している。

そもそも「生ける屍」でしかなかった者が美的な選ばれた者として描かれることになったのは、やはりそこに、非人間的な存在への憧憬(しょうけい)が加えられたからだ。それは言わば「望まれる人外の境地」である。そして、無意識にでもそうした美的な悪への羨望をいだくとき、われわれはゴシック者である。

人間という限界の中に閉じ込められているにもかかわらず、絶えず非人間という超越を求めずにいられない、そのいたたまれなさを感じるのもまた「人外」の意識である。フランケンシュタインズ・モンスターは「人外」の悲しさを、吸血鬼は「人外」を求めることの悲しさを教えてくれる。

なお、これもよく知られた史実に属するが、メアリ・シェリーの『フランケンシュタイン』とジョン・ポリドリの『吸血鬼』とはその執筆の契機を同じくしている。一八一六年六月十五日、スイスのレマン湖畔にメアリ（後のメアリ・ウルストンクラフト・ゴドウィン・シェリー、このときはまだメアリ・ウルストンクラフト・ゴドウィン）、後に正式にメアリの夫となる詩人パーシー・シェリー、メアリの義理の妹で当時バイロンの子を宿していたクレア・クレアモント、ジョージ・ゴードン・バイロン（詩人、若くして男爵）、そしてポリドリが滞在していた。たまたま雨天が続いたゆえ皆はドイツのゴースト・ストーリーを読んで無聊を慰めたが、このときバイロンが「それぞれに怪奇物語を書き合おう」と提案したという。結果としてメアリは『フランケンシュタイン』を書き、ポリドリは『吸血鬼』を書いた。クレアモントは書かず、パーシーとバイロンも完成した物語は残せなかったが、「現代のプロメテウス」という副題を持つメアリの『フランケンシュタイン』はパーシーの『鎖を解かれたプロメテウス』を意識して書かれたと言われ、ポリドリの『吸血鬼』はバイロンの残した断片をその発想のもとにしているとされる。なお『吸血鬼』は一時、バイロン作と考えられていたことがある。『フランケンシュタイン』初刊は一八一八年（三一年改訂）、『吸血鬼』初刊は一八一九年。

『オトラント城綺譚』『ヴァセック』以後、ゴシックの意識に典型的な様式をもたらした二小説はいずれも同じ日同じ場所に起源を持つ。

それはまた後に「人外」の二つの顔がはっきり描かれることを約された時と場所であった。

3

怪奇と恐怖

1　怪奇への愛——『アッシャー家の崩壊』

ゴシックハートは怪奇を愛する心である。また恐怖を探求する心でもある。

怪奇と恐怖を分けてみた。

どちらも「怖い気持ち」だが、より様式的なものを怪奇と考えることができる。たとえば夜の墓地とか暗い部屋に置かれた髑髏は怪奇だ。人によっては強い恐怖を感じるかも知れない。しかし、これは静的な状態としての怪奇であって、こちらに迫り脅かす動きとしての恐怖ではない。怪奇はある程度慣れることもできるし、趣味的なレヴェルで愛することもできる。

澁澤龍彥の居間には頭蓋骨のレプリカが飾ってあった。これは当人の意識としては奇抜なもののコレクションのひとつ、あるいは中世的な「メメント・モリ（死を思え）」という教訓のパロディといった意味だったのかも知れないが、私などからすれば、それがそこに住む人の生活様式となっている点で立派に怪奇趣味の表われである。

また、江戸川乱歩についての伝説（後に、それは根も葉もない嘘だと本人が憤慨しつつ否定しているが）としてかつて語られた、昼も暗い蔵に閉じ籠って髑髏の上に載せた蠟燭の光だけで原稿を書く、というような怪奇作家像というのも「怪奇」への通俗的な期待の描かせる想像である。しかしこうなってくると何かちょっと滑稽な感じまで生じてしまう。怪奇の表現というのはこのように部分だけを拾い上げるとむしろその怖さを損なうのだ。怪奇の本当の意味と価値を知るには、そこに示される全体の様相を、言わばひとつの小世界として見なければならない。

つまり、その世界を語る口調（映像ならその技術）、それによって生じるアトモスフィアこそが重要なのである。怪奇とは日常世界と隔絶した暗い場所の表現をめざす意志であり、そのめざすところに同意する者は、総体としてあろうとする世界を批判的に分断してその非現実性と馬鹿馬鹿しさをあげつらうような行為を敢えて封じる。このとき語る者と聞く者との共同作業的な性格が生じる。「怪奇趣味」といった言い方もこの相互の関係性が前提になっている。怪奇を愛する人々はある種の共同体に属しているようなところがあるのだ。ゆえに思い入れのない人からはそれを嘲笑することも容易く、早くもジェイン・オースティンの『ノーサンガー・アビー』（一八一八年発表……メアリ・シェリーによる『フランケンシュタイン』発表と同年）の頃から怪奇趣味・ゴシック趣味の人々はその過度の思い込みを諷刺されてきた（『ノーサンガー・アビー』後半はもと修道院であったゴシック風の屋敷に滞在することとなったゴシック趣味の少女の怪奇な想像がすべて裏切られる様相を語ったゴシック・ロマンスのパロディ）。

逆に言えば、怪奇の表現は語り口がすべてなのだから、その世界を追求する者に未熟な技巧、下手な語りは許されない。怪奇小説には極度に人工的なスタイルが必要と言われる所以である。

　ではアトモスフィアはどのようにして生じるか。次の例を見てみよう。ポオの『アッシャー家の崩壊』冒頭から。

　ひっそりとひそみかえった、もの憂く暗いとある秋の日、空に暗雲の重苦しいばかり低く垂れこめた中を、わたしは終日馬にまたがり、ただひとり不気味にうらぶれた地方を通りすぎていた。そして夜の帷（とばり）のおりかかるころ、やっと陰鬱なアッシャー家の見えるところまで辿りついた。なぜかは知らぬが――邸の姿を一目見るなり、堪えがたい愁（うれ）いがわたしの胸にしみわたった。堪えがたい、とわたしは形容した。なぜならそのときのわたしの気持は、荒涼たるもの、身の毛もよだつものの、もっとも仮借ない姿でさえ心が受けとめる、あの詩的なるがゆえに半ば快ろよい感情によって、いささかも和らげられることがなかったからである。わたしは眼前の光景を――何の変哲もない邸とまわりの景色を――寒々とした壁を――うつろな眼（まなこ）のような窓を――生い茂ったわずかな菅草を――朽ち果てた数本の木の白い幹を、めいるような気持で打ち眺めた。さしずめ阿片耽溺者の酔いざめ心地――現実の生活への痛ましい転落――夢の帷（とばり）の怖ろしい脱落――とより他にたとえようもない気持であった。心は凍てつき、沈み、むかつき――いかに想像力をかき立てようと、とうてい崇高なものとはなし得ぬ、救いようもないわびしさに満たされた。（中略）この光景の明細を、この一幅の絵画の細部を、わずかばかり配置変えしただけでも、物悲しい印象を与える力を減じ、ないしは消し去るのではあるまいか。こう思ったわたしは、邸のそばにさざ波一つ立てず輝く、黒々と不気味な沼の切り立ったふちにまで馬を進め――前にもまして身の毛のよだつ戦慄を覚えながら――灰色の菅草の、ぞっとする木々の幹の、うつろな眼のような窓の、ゆがんだ倒影を見下ろした。

（河野一郎訳、東京創元社版『ポオ全集』第一巻より）

この小説の特徴は語り口の一貫性であり、めざす方向に反する要素の排除の徹底である。提示される事物としても陰気そうなものしか並んでいないが、さらに眼にする事物を常に、予め方向づけられた心情とともに語る語り手の態度が顕著である。これにより周囲のすべてが一定の情緒に色づけられて示される。

本来ならば全編とおして読まねばならないところだが、ここにあげた部分だけでもその語りの一貫性はよく感じられる筈だ。そこからは解放や救いを示す語彙と事象が排除され、すべてが一つの憂鬱で閉塞した気分のために奉仕するよう塩梅されている。

ただしそれは日本文学によく見られる、ニュアンスだけで多くを省略して語る手法と異なり、そうした手法に慣れた眼からは執拗で言い過ぎと映るかも知れない（たとえば「陰鬱」「不気味」に類する語の頻用など）。だがそれゆえ分かり易い例と言える。冒頭「ひっそりとひそみかえった、もの憂く暗いとある秋の日、空に暗雲の重苦しいばかり低く垂れこめた中」という一節での、主となる意味は単に「曇った秋の日」だが、それに憂鬱さ・暗さ・重苦しさをめざす形容を過剰なほど加えて提示すると、文字どおりこんな憂鬱な口調になるわけである。

また、この描写の場合、頽廃・下降の情緒だけをめざすため、不吉で恐ろしげな建物がときに発する「崇高」の効果を封じる否定表現が、早い時期からたびたび挟まれる。崇高さは眼前にある閉塞からの解放に通ずるからだ。それへの否定は、先にある没落を予告し、頽廃と閉塞を打ち消す気配は示すまいとする意志による。

物語はこの後、アッシャー家の当主ロデリックとその妹マデラインの登場、魔物の跳梁を語るバラードの口誦、マデラインの死と窖(あなぐら)への安置、ロデリックの精神状態の悪化、発光する不可思議な霧の目撃、そして妹が死んでいなかった事実の発覚、墓から這い出てきた血まみれの妹とともに死ぬロデリック、真っ二つに裂けて沼に沈んでゆくアッシャーの館、というように進むが、そこに上昇や救いのニュアンスは一切含まれない。ひたすら死と破滅に向かって下降する情緒、精神の均衡を失いかけている友人の先のない運命を見るときの陰鬱さが全体のトーンを決めている。この全体と部分との緊密な関係性を「怪奇な物語」に向けて構成したのが『アッシャー家の崩壊』である。望む効果のためいかに語を配置するかという論理を示した『構成の原理』に見るとおり、ポオはアトモスフィアの構築には最も意識的な作家であった。

この、ひとつの小世界のための言語的統一性という手法は何も怪奇小説にだけ用いられるものではない。だが怪奇小説であろうとする限り、この統一性が不可欠である。

それは言い換えれば、決して部分の反乱を許さない態度であり、一小説内での全体主義である。部分が勝手に自己主張し始めるようないわゆる「前衛」の手法は怪奇小説には用いられない。そして、この巧緻な構築物は、なるほどゴシック建築がそうであるように、一見堅固そうな偉容を誇ってはいても、一部の力のかかり方が別の方向を向いていると容易く崩壊してしまう。それゆえ、意図しない僅かな手違いが全体を毀してしまう危険も常にある。

怖い話の途中に、不用意に間抜けなエピソードを挟むのは怪奇の作法に反するのだ。おもしろいことに引用部ではそういう構造の秘密もまた伝えている。「この一幅の絵画の細部を、わずかばかり配置変えしただけでも、物悲しい印象を与える力を減じ、ないしは消し去るのではあるまいか」とは怪奇を語りつつ怪奇の語り方をも教える言葉なのである。

これら、周到な配慮をほどこして「怪奇な世界」を作ろうとする意志とそれへの共感は、いずれも現実生活における統一感のなさへの抵抗からきていると思われる。興味の持てない雑多な外的要因に煩わされる生活への嫌悪が奥にある。

すなわち、怪奇なものの愛好は実社会に左右されない時間空間への憧れの表われなのである。

社会的通念にばかり忠実な人間たちの世界よりそれはどれほど美しく楽しい世界だろう、それならいっそ自分も魔物の仲間になりたい、という感情が、ゴシック者たちに黒い衣裳をまとわせる。限られた人間であることを棄て、永遠に夜に生きる魔物でありたい。怪奇を愛する心の奥にはどこかにこういう感じ方がある筈だ。そこからはときに『キャスパー』や『モンスターズ・インク』のような「優しい魔物」の物語も発生する。

こうした憧れとしての怪奇をよく描いている小説がリチャード・マシスンの『血の末裔』である。陰気な世界が好きで、吸血鬼ドラキュラに憧れていたジュールス少年は、人間的な生活を捨て、学校にも行かず、懸命に吸血鬼になろうと無理を続ける。動物園から逃がしてきた吸血蝙蝠を伯爵と呼び、廃屋に連れて行って自分の血を吸わせる。もはや本当に死ぬと思われたとき、何ものかの訪れが感じられ、それは言うのだった。

「わが息子よ」――（仁賀克雄訳）

そもそも吸血鬼になろうと精進するというのが途方もないナンセンスではあるのだが、その馬鹿馬鹿しさも忘れてラストで感動しない人はゴシックの心に欠けると私は思う。

Harry Clarke, Illustration for "Berenice" by Edgar Allan Poe, 1919

「優しい魔物」たちと異なり、このジュールス少年はあまり愛されそうな感じがない。それこそ真剣に非人間をめざすだけあって、親しみやすい「怪奇」のレヴェルをも越え、真実「薄気味悪い存在」となってしまっている。それでも彼がひたすら示す、人間でなくなろうとする心、魔物になろうとする心、そこに私は「人外」の心を受け取る。

しかしともあれ、ここまでならどうにかこうにか了解と共感が可能な範囲と言える。すなわち「怪奇領域」である。

これらに対し、恐怖の対象は常に完全な異邦人、否、「人」ですらなく、決して共感できる相手ではない。恐怖とは、いきなり訪れた、どこまでも了解不能、何をするかわからない、しかもどう考えても共存できないことだけはわかる真の異物を前にしたときの感情だ。つまり恐怖は、馴染みのある怪奇領域の外にある。

もちろん、ここで語っているのはホラー小説・ホラー映画・ホラー漫画、あるいはホラーゲームに見られる「怖さ」のことで、自分自身が実際に追い詰められる危機ではないが、しかしその物語は、わたしたちをある雰囲気に安住させることがなく、動揺させ怯えさせ、ときに追い詰められた気分にさせることを目的に作られている。

怪奇趣味なら愛せても、あまりに衝撃の強いのはちょっとおことわり、と思う人はあるだろう。しかし、ゴシックハートとは、たんに怪奇趣味に自足するだけではいられない心でもあるのだ。

それはなぜだろうか。なぜ住み慣れた世界だけでなく、ひたすら目新しい、安住できない、嫌悪をそそることもしばしばの恐怖を求めたがるのか。

2 恐怖の探求

現在ホラー小説と呼ばれるものは多く、雰囲気的「怪奇」であるよりは、具体的にやってくる「恐怖」を描いている。スティーヴン・キングの小説はもはや怪奇小説ではなく恐怖小説と言わねばならない。そこに「優しい魔物」はいない。たとえば『ＩＴ』では悪意に満ちた負の情念の具現としての怪物と呪いが主人公たちを追い詰め、妥協も後退もしない。話し合いの余地は一切なく、主人公が助かるにはこの敵を完全に粉砕する以外にないのだ。

また一九九〇年から出始めた木原浩勝・中山市朗による実話怪談集『新耳袋』のシリーズはさまざまな種類の怪談が含まれていて全体的な傾向をまとめて言うのは難しいが、最も多い「奇妙な経験の報告」に混じって、心底恐怖を感じさせるような体験談がいくつも収録されている。しかも、「祖父母から聞いた昔の話」といった種類の話を除けばどれも現在の日常に突然、説明しようのない異変が襲う。それは、幽霊屋敷や墓のような、ある程度限定された「怪奇な時と場所」に関係なく予期せぬ出来事として起こり、驚愕と衝撃をもたらす。慣れることはできず、懐かしむこともできない。

さらに現在日本のホラー小説流行のきっかけを作ったとも言える鈴木光司の『リング』の「恐怖」を考えてみると「怪奇」との差がより明らかになる。

この小説はエンターテインメントとして秀で、サスペンスに富んでいるだけでなく、途中、すべての起源となった古い井戸を探ってゆくあたりはむしろ怪奇小説的で、暗く不吉なアトモスフィアの創出にもなっていることはまず言い添えておこう。

ただ、その発端となるのは、あるヴィデオを見た人間がそれからちょうど一週間後に必ず死んでいる、という事実の発覚であり、しかもその事実を知ったとき既に主人公は当のヴィデオを見てしまっていた、という追い詰められた状況なのだ。なぜ死ぬのかも何がそうさせるのかもわからないまま、確かにそのヴィデオを見た者が七日目に死ぬことを知った者の受け取る不条理な死の恐怖は、『アッシャー家』に見たような描写に頼って伝達される気分ではなく、具体的な危機の自覚である。それに浸っていることはもはやできない。

このように読者を安らがせないホラー小説はしかし現在、世界中でよく読まれている。「慣れればおいしい」クサヤのような怪奇の世界ではなく、一作一作読者が慣れることのできないよう発案され報告された、度胆を抜く容赦のない恐怖の物語がどうしてこんなに愛されるのか。

その読者の心性が必ずしもゴシック的とは限らないが、ゴシック者としての考えを以下に書いてみよう。

ゴシック者はもともと怪奇領域をその故郷としている。何か心弱ることがあると暗く陰気で廃墟的そして古城的なその世界（現実の古城である必要はない。文字どおり「幻影城」であればよいのだ）に引き籠って昼も薄暗い中、怪奇な夢を思い描きながらうつらうつら暮らしている。そこで魔物たちは昔ながらの親しい友人だし、殺人も死体も古い写真のように色褪せ、現実味を失っていて、生々しい恐怖に怯えることはない。

だが、もう少し心強く、現世界の欺瞞や普通らしさの奥に隠されたものを意識するとき、ただ目に見えているだけの平穏を嫌い突出したものを求める意志が生じるだろう。それは笑いであっても悲しみであってもよいのだが、作家ラヴクラフトの言葉に従えば「人間の感情の中で、何よりも古く、何よりも強烈なのは恐怖である」（「文学と超自然的恐怖」植松靖夫訳）。なるほど生物としてもそれは事実のように思われるが、妥当性はともかく、少なくとも、より激烈なものとして驚愕を伴う恐ろしさが求められる。それを描きあるいは読み、感じることは、この世界の厭になるような動かなさへの異議申し立てだ。

つまり恐怖を求める心とはパンクの心である。

なぜそんなに突出を求めるかと言えば、それによって今当然と感じている意識のレヴェルを突き破り、新たな地平に出たいからに他ならない。そうできる保証などない。しかし、何か先にないか、見たこともない驚愕と戦慄はないか、と、ひたすら求められてならないのは、嘘臭くて粗雑な、きめの粗い、約束事と慣習に慣らされた、驚きを忘れ去った、堕落した今の自分の意識への不満があるからなのだ。

つまり恐怖を求める心とはシュルレアリスムの精神である。

その突出の先にもし何かがあるとしたら、それは調和の取れた形象ではなく、不均衡で不安で、威圧するような恐ろしい何か、異様な感銘を与えるが美しいとは限らないどころかひどく醜かったり巨大だったりするものだ。しかしそれを知ることでひとつ認識の次元が上昇したと感じられるもの、十八世紀的な言い方をするなら「崇高」なものである。

つまり恐怖を求める心とは崇高に向かう心である。

だがそれだけだろうか。恐怖から確かに感銘を得るとしても、ひどく陰惨な、崇高と言うよりはトラウマを残すような光景がそこにありはしないだろうか。平常を突き破るにしても、なぜ自らを蝕みかねないものまで見ようとしたがるのか。

これについて私はもうひとつ「荒廃の表現」という動機を考えている。

私たちのいる世界は、幸い先人の智恵の集積のおかげで（地域によって大きく異なりはするが少なくともホラー小説の読者が住むような地域は）生活上で必要なものは無理なく手に入り、多少の余裕さえある。だが、生物としての実相はと言えば人類として地に立った時と何ら変わっておらず、食物がなければ死ぬし、切れば血が出る。肉体は脆く、齢を重ねるごとにどこかが不備になってゆく。よい容姿でもいずれ崩れる。病に罹り易く、事故に遇えばひとたまりもない。家族友人も同じく、いつ死ぬかいなくなるか保証はない。今はかろうじて「人間らしい暮らし」をしていても、金や財はいつどのようにしてなくなるかもわからない。

普段、生活空間は無事なように見えるが強盗・殺人・詐欺・恐喝は絶えないし、思いがけない何かが自分を破滅させることもある。職をなくす可能性は常にある。天災はいつ襲うかも知れない。

よいことの可能性はあるとしても、それを上回る不安がわれわれを取り巻いている。意識すればするほど、生きるとは不幸という大波の上で波乗りをしていることと思えてこないだろうか。そして絶望的なことに人生は一回限りで、やり直しはできない。誰もが時間とともに身体と精神を損なってゆく。われわれは生まれた瞬間から日々壊れつつあるのだ。

高度成長期のように時代的に「前向き」でいられる間はこういうこともそれほどは気にならない。昨日より今日の方が豊かだと実感しているのであれば、暗い運命には目をつむっていられる。だがどんなによい時代よい社会であっても、人間の、生まれたときから壊れてゆくという事実は変更できない。

マスメディアによって再三伝えられて来る現代の私たちの生の捉え方は「生きるって素晴らしい」が基本だ。よく考えればひどく偏っている。

人が壊れてゆく事実にばかり目を向けるのも、「生の素晴らしさ」だけを見るのと同じように偏っているだろう、しかし、大多数のメディアがどこまでも明るい生を吹聴し続けているのであれば、そこに嘘を感じる方がより現実の把握として正しいのではないか。

私の感じるそれを言葉にするなら「荒廃感」だ。死体・廃墟・損なわれた身体、それらゴシックの要素はわれわれの世界そしてわれわれの生自体が荒廃に向かうものとしてしかありえない様相を視覚的に伝えるものだ。

つまり、恐怖を求めるゴシックの心とは、生の明るい面だけを見ていようとする近代の欺瞞に耐えられない正直な「顫える心」である。

その心が、陰惨なものとしての生を容赦のない「荒廃」として表現するとき、たとえばホラー小説やホラー漫画が生まれてくる。

それは単に脅威とその収束の物語ではなく、われわれが本質的に持っている生の不安・恐ろしさ・無残さを形やストーリーとして描いたものである。たとえハッピーエンドに終わるとしても、何か見てはならないものを見てしまった感触を残す小説を私は真のホラー小説と呼んでいる。

　こうして表現され、受け取られた荒廃の感触は、強烈に不安と嫌悪を誘いながらも、そこに嘘のない切実な「顫える生」の実感をも伝えてくる。明るさや前向きの生き方ばかり強調されているとどうも息苦しく感じてしまう心は、よけいなバイアスなしに闇に真向かいとなるとき、やっぱりこうだ、これが生きることの嘘のない一面だとむしろほっとするのである。

　ホラー小説を愛してやまない人の心地とはこういうものではないだろうか。

　ところで、ひとつ加えておくと、現在親しめる「怪奇」も遥か昔は結構「恐怖」だった。ウォルポールの『オトラント城綺譚』は今から見れば怪奇趣味であって全然怖くはない。だがこれが発行された一七六四年、本当かどうかは知らないが、読んで衝撃を受け、夜、用足しに行けなくなった女性もいたと伝えられている。M・G・ルイスの『マンク』も当時の読者には大変な衝撃だったそうで、問題のある箇所がカットされたほどだという。サドの著作を知る私たちがもはやこれに驚くことはない。こういうふうに、もともとは「恐怖」だったものも、普及とともにそして時代とともに「怪奇」趣味になってゆくのだろう。だから、現在私たちが強烈な恐怖を感じる物語や映画でも、何年か後、何十年か後には、ゆかしく懐かしい怪奇の世界に属するものとなっていることはありうるし、個人的なホラー鑑賞経験の蓄積にしたがい、衝撃的な恐怖だったものも親しめる怪奇となって感じられることはあるだろう。

「こんな恐ろしい経験は初めてだ」と感じさせることを目的としているのが「恐怖」の物語だが、多くに読まれ、読者が慣れ、しかも変わらず愛されているとその物語は「怪奇」の棚に並べられることになる。怪奇とは歴史的な恐怖、中でもとりわけ懐かしい「古きよき恐怖」なのである。

4

様式美

1 「ゴシック耽美主義」の文学——三島由紀夫、澁澤龍彦

第1章でも示したとおり、ゴシックの心とはまたひたすら「様式の美しさ」を愛する心でもある。

それが芸術的主張として現われたのが耽美主義である。現在残っている耽美主義の絵画文物の多くはゴシックな価値と重なるところを持つ。ヨーロッパの世紀末に最も盛んとなったこの思潮は、最初から太陽の照りつける昼の思考ではなかった。

今どき耽美主義ってどう？ と言いたがる人もいるだろう。ここ十年くらい（註：ここで想定しているのは一九九〇年代後半〜二〇〇〇年代前半くらい）、どちらかと言えば普段着の態度、普段着の考え方といったものが歓迎されてきた。なるほど確かにこと改めて着飾ることなく普段着でお洒落に感じさせるのが実は一番難しい。つまり、本当のセンスのよさ、先天的な「そのままで格好いい」ということが尊ばれていたことにもなるわけだ。だがそれは限られた人にしかあてはまらないから、実態としては「いいじゃないか、イケてなくても」という楽な方向へと流れることになる。それはまたそれでよいことかも知れない。八〇年代の頃のように全員が最先端をめざして競い合い、その実ほとんど誰も満足できなかったという状態よりは。

　だが、今度は普段着という思想が抑圧を始める。飾らなさを目指すだけではなく、ある突出を極めようとする志向がいつの時代にもあってしかるべきなのだが、近年（註：『ゴシックハート』初版の刊行された二〇〇四年を基準とする）はとりわけ飾ったもの深いもの凝ったもの作為によるものを愛する層がその本領を発揮する場を奪われてきた。

　同じように、大袈裟な架空のシチュエーションを避け、身近へ身近へと表現を進めてゆく傾向はさまざまな分野に見られ、それはそれでよいのだが、ときに「大袈裟は見苦しい」という抑圧を生じさせることになる。

　世に納得された、ナチュラルな、気取らない在り方でないと恥ずかしい、とか、背伸びせず格好悪い自分を受け入れよう、形なんかどうでもよいから皆に親しまれたい、というような空気への反発が潜在しながら徐々に膨らんでいった。こうして、パンクで華美で、しかも自ら定めた意味でのシックをめざすゴシック・ファッションが登場した。それは他者に愛されるための装いではなく、現在の自分をそのまま受け入れるサインでもない。当人の遠い憧れを表現する、いわば信仰告白のようなものだ。

　耽美とはもともと思想・論理や倫理的価値を無視して視覚的な色彩・形態あるいは技法の巧みさを尊ぶ態度であるからには、先に絵画美術について語るべきかも知れない。しかし、それがいかに一般的な意味での「思想」性を否定していても、芸術に対する「考え方」に属するものである限り、考え方見方の言語的な提示がないと始まらない。

「ただ見たまま」（こういう「素朴さ」を私は信じないが）とか「個人個人の感じ方次第」といった態度からは耽美という視線が生じないのだ。そこで、まずは言語的に表明された表現・鑑賞の姿勢を明らかにしておこう。耽美的な視線からこれはと思われる絵画と写真については後半で語りたい。

「耽美主義」「唯美主義」の態度はスウィンバーンの美術批評に始まるといわれるが、その後、ウォルター・ペイター、オスカー・ワイルド、また別にボードレール、ペラダン、ホーフマンスタール、あるいはビアズリー、クリムト、といった名前によって連想される特徴はデカダンスと反楽観主義、反進歩主義である。

さらに信仰篤い作家トルストイがこの耽美主義を強く批判し、それに対して「悪魔主義」と呼ばれたジョゼファン・ペラダンが反論しているというような話を知れば、自分がどちらに与する側かよくわかる。

ちなみに私は現在翻訳されているペラダンの小説をそれほどよいとは思わないが、意識的な選択の立場についてだけ言えば、信仰と倫理の優先によって表現行為に口出しすることへの反発の方が強い。なおキリスト教的な信仰心と進歩主義とは一見対立する思想のようだが、「神の国」もしくは「素晴らしい未来」の到来を前提として確信し、それによる他者への一方的な命令を含む思想である点で、私にはこの二つが重なって見える。

耽美主義はそうした楽天的過ぎる確信と、それに伴う、ともすれば無神経で抑圧的な口調を軽蔑し批判する。

このようなヨーロッパの耽美主義は明治大正期の日本文学に影響を与え、日本の耽美主義が発生した。

だが、近代日本文学において耽美主義もしくは唯美主義という場合、北原白秋、木下杢太郎、あるいは永井荷風などの詩歌・随筆・評論が中心であり、これだけならば「江戸の風流」の記憶と明治末・大正のハイカラ趣味、そして西欧への憧れとに彩られた、あわあわしい時代の雰囲気にすぎないような印象である。本場の耽美主義特有の強烈な否定意識は感じられないが、ここに、これまた「悪魔主義」とも一時呼ばれた谷崎潤一郎という決定的にしつこい体質の作家が加えられると、ようやくゴシックハートの反応するところとなる。

『刺青』や『悪魔』『恐怖時代』『魔術師』などのあくどさを排除しない初期の短編、また『武州公秘話』のような伝奇エログロ小説などはかなり気になるところだし、この作家の『金色の死』という小説が江戸川乱歩の『パノラマ島奇談』にモティーフを提供したとされるのであれば、やはり谷崎には注目したくなる。関西へ移住する前の時期には怪奇幻想趣味の小説も多い。

ただ、その谷崎にしても、ヨーロッパの場合のようにはっきりとした「耽美の主張」

を理論として示しているわけではなく、移住後に書かれた『陰翳礼讃』は既にここで考えているような耽美主義ではない。本当に耽美ということを意識し理論化したのはさらに後の三島由紀夫だと私は思う。

三島による批評を読んでようやく私たちは、ヨーロッパのそれと同じ強い否定意志を持つ「耽美」の態度が日本にも存在したことを知るのだ。

三島由紀夫が川端康成に関して述べた『永遠の旅人』というエッセイの中にこんな一節がある。

たとへば川端さんが名文家であることは正に世評のとほりだが、川端さんがつひに文体を持たぬ小説家であるといふのは、私の意見である。なぜなら小説家における文体とは、世界解釈の意志であり鍵なのである。混沌と不安に対処して、世界を整理し、区画し、せまい造型の枠内へ持ち込んで来るためには、作家の道具としては文体しかない。

この意見を私が解釈すると次のようになる。

川端康成は美しさに敏感でありそれを最もよく描くことのできる作家だ。だが、彼にとっては、外部に見えてくる果敢ないもの綺麗なものに心奪われそれを描く営為だけが目的で、自己の望む様式美について予め考えることはない。美しさは常に自己の外から訪れ、彼はそれをその都度その都度あらたに発見し、その記録として小説が書かれる。だから川端の小説にはストーリーらしいものがないこともしばしばであり、中には日記を小説として発表した場合もある。ノーベル文学賞受賞のおりの講演である『美しい日本の私』で、自己と自然が一体になるといったことが語られたのはこうした理由から必然的なのだ。川端にとって外部世界は愛で賞すものを探す場であって、自己の言語で仕切り直したり反発したり抵抗したりするものではない。

つまり川端の表現は外部世界に支配されることをそのまま受け入れるもので、現世界に対峙して生まれる言葉ではない。だから名文ではあるとしても、それは対世界的な個の文体というべきものではない。

結果として言えることは、川端は耽美的作家ではあるが、耽美主義の作家ではない。彼はほとんど世界への批判否定を持たない。言語表現によって「世界」の意味を変えてやろうとは考えない。

「世界解釈」とは個による世界の裁断である。よって、世界は「このようである」と伝える行ないに幸福を感じる作家は三島の言うような「文体」を持つことがない。一方、世界に対して「こうあるべきだ」「こうであればよいのに」という否応のない主体的批判の衝動を感じる者の書く文章に「文体」があらわれる。

三島由紀夫の告げた「文体」とは、要するに現世界に抵抗し、いかに不可能と思われても現世界の変容を意図せずにいられない者の言葉である。

たとえば三島由紀夫が『仮面の告白』に用い、「華麗」と評された文体は、当時マイナーなものであった同性愛という性的指向を特権的に描くことを可能にした。その「文体」は世間的な価値観を転倒させるものだったのだ。

そして、現在でも、自己の変更不能なマイナーさ、つまり人外（にんがい）の心に敏感であり続ける者の表現が、その書き手の執着する様式美に従って書かれるとき、あらたな耽美が生まれる。

文学の文章というのはそれ自体として「美」ではない。言語的表現によって受け手に美のイメージをうまく再構成させ得たとき、その表現が「美しい文章」と言われるだけのことである。だが、書き手の、美しさへの執着がその語り方をも規定しているとき、そして書き手の定めた厳格な規範に従って自覚的意志的に書かれる文があったとき、私はそれを「耽美主義的な文章」だと思う。

澁澤龍彦はアンソロジー『暗黒のメルヘン』の編集後記で次のように書いた。


ところで、私個人の好みということを言うならば、私はもともとスタイル偏重主義者で、いわゆる作者の体質から自然ににじみ出てくるような、無自覚な、自然発生的な、なまくらな文体は大嫌いなのである。とくに幻想的な物語のリアリティーを保証するのは、極度に人工的なスタイル以外にはないとさえ考えている。

ここで澁澤が言う「極度に人工的なスタイル」もまた、自覚的意志的な、三島が「世界解釈の鍵」と言った「文体」と同じものである。

結局、言語表現において耽美の心を表現するには、ストイックな自律によって言葉を選ぶことしかありえまい。澁澤の嫌ったような「無自覚」とか「自然発生的」とか「なまくら」とかいった印象をどれだけ与えないでいられるか、ということだ。そして三島由紀夫、澁澤龍彥の告げた「文体」「スタイル」優先の考え方を肯定するのが、耽美を旨とするゴシックの文学である。

そこに語りの規律がはっきりあることを示せるのであれば、どんなに格好の悪いこと惨めなことを語っても耽美的でいられる筈だ。つまりここで言う「耽美」とは魅惑的なものへの憧れを捨てていないという姿勢のことである。それが読み手に了解されれば、もはや内容は重要ではない。これが本当の文学の上での耽美主義ではないだろうか。

現世界への何らかの強い批判の意識があり、それを遠い背景として成立する固有の語法に厳格であるとき、耽美主義は再来する。ゴシックの精神としては、現世界への批判意識と自己の語法への厳格さが見られないものを称えることはできない。

さらに現実否定と言語によるフィクショナルな世界構築の意志は必然的に幻想へと導かれることになる。中井英夫の作品はその典型であった。

2　絵画・映像のゴシック耽美――建石修志、村上芳正、ウィトキン、シジスモンディ

では絵画や映像の表現ではどうなのだろう。たとえばラファエル前派や金子國義の絵画、ヴィスコンティやタルコフスキー、デレク・ジャーマンの映画はいつ見ても耽美的だな、と思う。これにはあまり異論はないだろう。

かつて中井英夫氏とお話ししたことが何度かあるが、あるとき、中井氏は絵画に関してこんなことを言われた。

「ぼくはね、どうも子供の描くような絵が苦手でね」

子供の描く絵には「この世界への驚き」がよく表われている、という意見をともかく正しいとすれば、それは川端康成にも通ずる、外部世界の素晴らしさの発見の報告として見るべきである。そしてそういう見方にも私は敬意を表したい。価値があることは認めたい。

だがやはりわれわれは（つまり中井氏も私も）耽美的なものへの執着と優先を忘れることができない。とりわけ中井英夫は生涯「この誤った世界には自分の居場所がない・

自分の生きるべき正しい世界は別にある」という確信を持っていた人だ。その小説は、いわゆるリアリズムの作家以上に現実に起きた事件・出来事・偶然得た知見などを大量に取り込んで書かれているが、すべて「この世界の素材を利用して反世界の正当性を示す」ものであって、ひとつとして「この世界こそが主人である」という態度で書かれてはいない。

だから、中井英夫は「この世界の在り様にひたすら見入る」視線を評価する基準を持たない。評価する基準を持たないとは好きになれないということだ。

なお、確認はできなかったが、「子供の描くような絵」というのはおそらくミロや素朴画派などの画風も含むものではないかと思う。つまり、細密なリアリズムによる絵でないと好きになれないということだろう。この場合のリアリズムとは、現実ならぬ人工的世界を構築するために必要な技法をさす。これも聞くことはできなかったが抽象画も特に好んでおられたとは思えない。

そういう中井英夫が自著の装画の書き手として最も多くの場合選んだのが建石修志だった。もともと装丁挿画には恵まれた作家で、野中ユリや司修などによる美しい著書が多くあるが、やはり中井英夫の本と言えばまず建石修志、というのが多くの印象だろう。『とらんぷ譚』として後にまとめられた四部作、『月蝕領宣言』『黒鳥の囁き』『LA BATTEE（ラ・バテエ）』『ケンタウロスの嘆き』、そして第二期の『中井英夫作品集』

増えてゆく。(全十巻別巻一)等々、とりわけ晩年になるに従い、建石修志挿画もしくは装丁の著が

この画家は、初期には鉛筆による作品が多く、建築画にすぐれ、結晶・鉱物など硬いもの、そして天使、天体等のいわば形而上的な題材を描くことを偏愛する。人体を描くさいも細密な陰影と明確なフォルムによって曖昧さのない彫像のような物質感を与えるものが多く、ときに骨がモティーフとなっている場合もある。おそらくはその硬質・明確好みのゆえだろう、女体よりも男体を描くことの方が多い。最近はコラージュ風の技法に歯車やシャフトなどの金属部品を用いたボックスアートをも制作している。

硬質、細密、彫像を描くような、という画の特徴はちょうど澁澤龍彥が「幻想的な物語のリアリティーを保証する」とした「極度に人工的なスタイル」に通ずる。具象絵画で形而上的・幻想的であろうとする場合の「スタイル」とはたとえば建石のような技法がその典型と言えるだろう。

ゴシックな絵にはこのマニエリスティックなリアリズムの技法が不可欠である。澁澤龍彥は絵画についても同様の意見を記していた。球体関節を用いた人形で有名なハンス・ベルメールはエロティックな銅版画でも知られるが、それについてのコメント。

とくにわたしを驚かせたのは、その銅版を腐食した線の、じつに繊細なタッチであ

った。この画家もまた、エロティシズムとは繊細の精神であると心得ていた、あのサド侯爵の遠い子孫なのであろう。

装画を手がけることの多い画家でもう一人、極度にマニエリスティックな手腕を示す人をあげておこう。村上芳正（村上昂）である。特に一九六〇年代から七〇年代にかけてのペン画によるこの人の仕事は稀に見る幻想的かつゴシックな暗い美しさに輝いている。細密といってこれ以上はないほどの、細い線と点描を駆使し、ありえない空間構成、花と男性の身体とが重ね合うように描かれる華麗なそして暗黒の世界が展開している。

私が何より思い出すのは先に引用した澁澤龍彥編の『暗黒のメルヘン』の装画だ。他にも倉橋由美子『聖少女』、沼正三『家畜人ヤプー』限定版、三島由紀夫『豊饒の海』、ジュネ全集、バタイユ著作集、等々、六〇年代に澁澤らが旗印とした異端、暗黒、そして耽美のサインとしてこの画家の絵が用いられたかのようである。

建石、村上の二者は技法の完璧さによって何を描いても耽美的となる画像作者の典型と言える。建石の荘厳な建築と身体、村上の暗くデカダンス漂う画面に惹かれないゴシック者はいまい。なお最近ならば山本タカト描く美少年美少女がゴシック耽美の極みである。

これが漫画の分野へ来ると、丸尾末広を筆頭に、花輪和一（ただしこの人は耽美とだけは言えない）、大越孝太郎、と精密な画風で無残、エロティシズム、グロテスク、そして美男美女を自在に描く「ガロ系耽美派」とでも言えるような系列が続く。そこに宮西計三も足そう。さらに、ゴシックハートとしては、常にゴシック調の衣裳・シチュエーションを描く三原ミツカズと、ブリティッシュ・パンクなファッションとデスペレートな語りに彩られた楠本まき、多田由美を加えたい。日本ホラーコミックの巨人である楳図かずおも画の方向性としては耽美的と言ってよいだろう。

では写真に耽美ということはありうるのか。もしそれが映像創作の意図をもって作り込まれたものでなく、美しい風景や街や人、あるいは何かの瞬間を偶然に撮影したものだとすると、必ずしも明確には言えない。しかし、たとえばブラッサイの『夜のパリ』などは十分耽美的に見える。視点の問題ということだろう。サラ・ムーンあるいはメープルソープなどになると一層耽美性が顕著だし、スティーヴン・アーノルドやベルナール・フォコン、沢渡朔、細江英公、郷司基晴といった作為の表出者はどれも耽美主義的でないわけがない。

だがゴシック的にまずはジョエル・ピーター・ウィトキンをあげる。

私がこの写真家の存在を知ったのは伊藤俊治の『生体廃墟論』という魅惑的な題名の美術評論集によってだった。かつてのアメリカのサーカス、あるいはフリークショーに見られたような、いっそ猟奇的と言えばわかりやすい題材を、古典的なアートの構図に

村上芳正・装画／澁澤龍彦・編『暗黒のメルヘン』立風書房、1971 年

なぞらえて表現する「作為の表出としての写真」の大家である。そこには身体の異変と異様な装いとが劇場のような背景とともに写し出されている。場合によっては差別的と非難もされるだろう。だが、密室に閉じこもるような情緒とそれを形式化する耽美の意識が私には得難いものと感じられる。

最後に同じく写真、そしてマリリン・マンソンのミュージック・ヴィデオの制作も手がけたフローリア・シジスモンディの作品をゴシック的映像のひとつの頂点としておきたい。

人間と人形、機械が、死体と異形の数々が、相互の境界を忘れたかのように存在する。廃墟とも拷問部屋とも死体置場とも見える地下室、錆びて古めかしい器具、異様な面やメークアップがショッキングな効果を引きだす。冷え冷えとして残酷で荒廃していて、なのにひどく様式美に適ったものと思われるその映像を前に私たちは鮮烈なゴシックの魂を受け取るだろう。

5

残酷

1　ゴシックな残酷さ――『責苦の庭』

ゴシックの心は怪奇・恐怖とともに残酷な物語や映像を好む。好むというのが正確でなければ、残酷な場面があると見入らないではいられない。

だが、残酷さにはさまざまな様態があって、中にはゴシックとほぼ縁のないものもある。

ここからはゴシックな残酷さの条件、ゴシックの精神が残酷を語るさいの作法を考えてみよう。

残酷さといってもメンタルなものとフィジカルなものとがあり、文学的と言われるのは大抵メンタルな残酷さだ。血みどろな肉体の損壊を一切描かず精神的苦痛の様相のみ伝える物語というのは上品で洗練されていると賞賛されることも多い。だがそういう洗練だけで満足しないのがゴシックの感じ方である。というより、苦痛と受難と悲惨の源泉である肉体を予めスルーしてしまうという偽善をゴシックは許さない。メンタルな残酷さについて語ることは全く構わないが、それがフィジカルな残酷さより高級であるとか実はそれこそが本来の残酷なのだとか主張し、肉体の描写からしか得られない衝撃を排除した上で安心して芸術鑑賞だけしていようとする意識は呪われよ。

残酷さというのであれば、まずはストレートに身体の損壊、たとえば拷問と処刑の様相を一望すべきだ。その後、そうしたければ精神的苦痛について考えればよい。

様式美のところでも告げたとおり、美的であるかどうか、ひいては高級さや洗練の有無は、題材によって決まるものではない。いかなる陰惨な血みどろの図であっても耽美的に語ることは可能である。

耽美を尊ぶゴシックの志向としては、肉体の損壊現場を前にしたときの強烈な衝撃を限りなく洗練された語法で伝えることを理想とする。

ただ、そうは言っても、洗練ばかり追うことで、野蛮かつ粗野な素材としての無残絵を忘れてしまうのもまたごまかしであり、ゴシックの精神に反する。ここはひとつ理想は理想として、高級とは言いかねる場面や物語も臆せず眺めてゆくことにしよう。

ゴシックな残酷と聞いて私がすぐ思い当るのはオクターヴ・ミルボーの『責苦の庭』だ。これは国書刊行会刊の「フランス世紀末文学叢書」の一冊として刊行されていて、一般にはゴシック・ロマンスというより「世紀末文学」として記憶されているかも知れない。確かにその方が正確だろう。だが、この翻訳は「フランス世紀末文学叢書」以前には牧神社刊の「埋もれた文学の館」という叢書の一冊として刊行されていて、そこにはウォルポールの『オトラント城綺譚』、ベックフォードの『ヴァテック（＝ヴァセック）』、クララ・リーヴの『老英男爵』といったものが並んでいたのである。いずれもゴシック・ロマンスの代表作ばかりで、つまり、この『責苦の庭』もゴシック・ロマンスの傍系のようなものとしてそこに加えられていたことになる。

かつて読んだときはそれほど意識的でなかったが、今、その記憶を「ゴシック的」という理念によって言い直したい。『責苦の庭』がゴシック・ロマンスであるかないかはともかく、これがゴシック的な小説であることは確かである。

なお、原書初版のさい「シャルパンチエ文庫」として刊行された『責苦の庭』は二部作で、「責苦の庭」とされているのが第二部である。「学術調査」と題された第一部は、訳者篠田知和基の解説によれば、単独の作品としての「責苦の庭」部分が書かれた後、ページ数を増やしシャルパンチエ文庫に収録するため書き足されたものらしく、語り手は同一ながら実質第二部とは関係のない作品と言えるとのことだ。このような事情から「埋もれた文学の館」として翻訳されたのは第二部だけだったし、それで十分だった。後に「フランス世紀末文学叢書」収録のさい第一部も翻訳されたが、ここでは主題も異なりゴシックにも関係の乏しいピカレスクロマン風の第一部には触れない。

「責苦の庭」とは、悽惨さで知られる中国の処刑場をさす。清王朝の絶対的な権力の下、ごく僅かな科(とが)で収監された囚人たちが日々むごたらしく処刑されている。またそれは一般公開され、この当時、立場のよい外国人が多く見物に来ていたということに作中ではなっている。さまざまな遍歴の果て、フランスから辿り着いた語り手がクララという若い英国人女性に導かれそこを巡る、というほぼそれだけの話である。

容姿可憐なクララは典型的なファム・ファタルとして描かれ、残酷な処刑を好んで見物し続け、語り手がひるむ様子を嘲笑し、ときにヒステリックに罵る。聞いた限りの悲惨な話を告げ、眼前の無残を楽しみ、熱狂していたかと思えばひどく怜悧な言葉を発する。途中、性的な会話も幾度かある。悪魔的でかつ淫ら、エキセントリックで魅力的な、魔性の女という作中の位置付けだ。

だが女性のことはまた別のテーマとしよう。ここではまず、刑としてはその後に告げられるほど過激なものでないにもかかわらず、以後の空気を一挙に決定してしまうような檻の様子を引用してみる。


右手の壁の中にはだだっ広い獄房があった。それは格子をはめられ、たがいに厚い石の壁で境をされた広い檻といったほうがよかったかもしれない。はじめの十室ばかりには、それぞれ十人ずつ囚人が入れられていた。その十室がみな同じ光景を呈していた。囚人の首には首枷がはめられていたが、それがとても大きくて身体が見えないくらいだった。まるで首を斬られた恐ろしい頭が生きたまま机の上に置いてあるようだった。彼らは手足をしばられて、自分たちの汚物の中にうずくまり、横になることも、寝ることもできなければ、休むこともできないのだった。ほんの少しでも身動きをすれば、血だらけの首筋にじかにはめられた首枷がすれて苦痛の呻き声をあげる。彼らはその呻き声のあいまには観客に対する容赦ない罵りと神への懇願とをかわるがわるにまじえるのだった。

（篠田知和基訳）

囚人には食が与えられていない。観客たちはあらかじめ入り口あたりで、「血膿まじりの肉の切れはし」を買い、かごに入れている。鼠や犬の腐った死肉である。「これ以上腐ったやつはありゃしないよ」というのが売り手の呼び文句だった。それを棒に突き刺して飢えた囚人に投げ与える。むろんわざと食わせないように示すことも自由である。腐敗と汚物の臭気の中、囚人たちは死ぬまで晒し物となっている。クララにはボーイがついており、腐肉入りのかごをたずさえていた。

クララはかわいらしく身震いをして、たくみな仕草で小さな肉片をいくつかボーイのかごの中で軽やかにつきさし、それを格子ごしに優雅に檻の中へさしだした。するとと同時に十の頭が首枷をゆすりながら揺れ、同時に二十の瞳が飛びださんばかりに肉片のほうに血走った視線を投げるのだった。それは恐怖と飢えの視線だった。それから同じ苦痛の叫び声が十の歪められた口からもれた。

（同前）

肉片は届かない。「これ以上腐ったものはない」腐肉をも、飢えの窮まった囚人たちは口にしようと首をのばす。すると首枷が首を傷つける。

ここで生きている間、彼らは二度と満足な食事はできず、最高に運がよかったとしても悪臭漂う腐肉を食うだけだ。休むことのできない姿勢のまま身体をこわばらせ続け、いずれは飢えで死ぬ。より長く生きればより苦痛が続くだけというその様態を想像し、生の限界とはこのあたりだろうか、と考えながら真っ暗な情緒を受け取る。それは絶望が息苦しいばかりの具体的な形となって示されている場面を想像させられる経験と言える。

この後、皮剝ぎの刑の描写と、その仕事をやり終えたところの職人気質の処刑役人が「鼠の責苦」と呼ばれる刑を語る場面もあり、大きな鐘が終日鳴り続ける下で痙攣しつつ死んだ囚人、目や陰部に唐辛子を塗り付けられ釣り下げられた女などの描写があり、また、この場面の前にも、熱した火箸を腰に突き刺して癒着させた後、抜き取り、肉を引きちぎる刑の話、あるいは「愛撫の責苦」に処せられた男の話もあった。愛撫の責苦とは専門的な性の技巧を持つ女の手によって死ぬまで射精を繰り返させられるという刑である。

どれも陰惨きわまりない。だが何より、引用した檻の様子、そこへ腐肉を投げる、という惨憺たる景によって、私は『責苦の庭』という世界の核を感じた気がした。ああ恐ろしい、と普通らしく怯えてみせる気はない。だが喜色満面でおもしろいと言う気はさらにない。暗く絶望的で重い気分になる。だが見ないではいられない。楽しみなのではない。けれども、おりにつけこのような陰惨なイメージを自らの近くに描くことなしではいられないようにも思う。

何なのか自分でもよくは把握しえていないが、どうにか言えるのはやはり荒廃感ということだ。生物として生きていることの稀有な恐ろしさから一時も目を離せない意識の表われ、とここでは言っておく。だがそこはこれ以上沈みようがないという意味でいっそ心落ち着きさえする、生まれる以前のような、深い、暗い、懐かしい場所でもあるのだ。

そして、だからこそ、残虐行為は荘厳な儀式のように描写されるべきである。そうあって初めて虐死する者たちの絶望と苦痛に心を添わせ、暗く救いのない我が身の物質性、そしてこの世の物質性を感じることができる。残虐描写は、嘲笑すべきものとされたり卑しいものとして書かれたりしてはならない。それは未生の闇のように、動物のように、自由も笑いも知らない生真面目なものでありたい。

その意味では『責苦の庭』の処刑役人が語る「鼠の責苦」の部分の語り口に、私は抵抗を感じる。限りなく俗に語られる言葉には暗黒と真向かいになろうとする契機が乏しいのだ。

「鼠の責苦」というのは、底に小さな穴のある植木鉢状の壺に、二日ほど餌をやっていない鼠を入れ、その壺を受刑者の尻に密着させて固定し、底の穴から熱した鉄の棒を差し入れて鼠を追う、というものだ。鼠は逃げ場がないため、受刑者の肛門に入り込み、歯と爪で肉を食いちぎりながら体内深く潜ってゆく。鼠はいずれ窒息して死ぬが、それまで受刑者には身体の内部を食い荒される苦痛が続き、最後は出血多量で死ぬ。その苦痛の与え方は確かに聞く者をして慄然とさせるものを持つ。

だがこれを役人は次のような口調で語る。

「コンロの火で熱した鉄の棒だ、携帯用のコンロを近くに置いとくんだな、それで鉄の棒を中へつっこむとどうなると思う？　ああ！　ああ！　ああ！……なにが起こるか、まあ、考えてもみな、奥さん」

（同前）

自分の想像に酔う処刑人は、受刑者には何の怨恨もないが、加虐心の高まりを限りない喜びと感じていることがその語調で伝えられる。要するに身も世もない欲望を剝き出しにして語る姿と言える。

この語り口には繊細さが感じられない。むろん作者はここで洗練を示すつもりではなく、ひたすら受刑者の苦しみを喜ぶサディストを描きたかっただけだろう。だが、作者の意図はどうあれ、残酷な行為の描写はこのようにあさましいものであってほしくない。残虐行為を喜び楽しむ心があるのならそれはそれでよいのだ、ただその喜びようを剝き出しにするのは残虐さそのものを卑しく見せてしまうと思えてならない。

それはあるいは私にも彼と同じ嗜虐性があり、そのことが露呈するのが厭なだけなのかも知れない。だとしてもやはり残虐行為は生真面目に、荘重に、喜びや笑いを含まずに描写されるべきである。残酷さは滑稽であってはならず、卑しくあってもいけない。言語道断の無残さの伝達にはできるだけ熱を含まない語りが望ましい。この役人は熱狂しすぎている。

さらに嗜虐の欲望とはまた別に、加害者の敵意や執念といった感情的な動きが大きすぎるのも好ましくない。

恨みや憎悪のあまり、その対象を惨殺する、ということが語りによって感情的に強調されている場合、いかにその手段が残虐であろうが、どこまでも人間の感情に忠実なだけなのがあらわとなり、生物であること自体の無残さを感じさせるところまでは届かないで終わる。むしろ、その行為者が恨みを晴らす心地よさの表われとして伝わることとさえあるだろう。その種の喜びは残虐描写特有のそれとは別の、アクション映画を見るときのような攻撃的主体への同一化によるものである。しかし、拷問・処刑の描写を読むとき、私はそれをスポーツのようにではなく、われわれ全体の客体的な惨劇として読んでいる。

だからこそ描写は復讐や正義実現の意味となることを回避し、残酷さ自体の伝達を主とすべきである。いかに恨みや憎悪が原因であっても、描写しだいでは、情念を受け取ること少なく、あのいつもの暗く深い場所まで連れていかれることがある。それは決まって特定の人間的感情の負荷が加わらない場合だ。

また、被害者の側に言葉を与え過ぎることで、それを茶番のようにしてしまうことは一層許されない。よく漫画や映画で、手足などを切断された端役の悪役が、「あああ、俺の、俺の腕がぁ！」と叫ぶような見苦しげな描写がそれで、いかに端役といえども、このように滑稽に、けたたましく、自己説明的な言葉を口にさせることは生物的限界という厳格なものへの冒瀆とさえ思う。被害者を卑小に見せ、儀式性を奪ってしまうからだ。

被害者は『責苦の庭』に描かれた檻の場面のように圧倒的に理不尽な辱めを受けている。しかしそれはただ辱めを受けているだけであって、被害者自身が自らの卑しさを見せつけているのではない。檻に首枷で固定された彼らの言葉は、神に祈るか、見物人を激烈に罵るか、だった。ぎりぎりの場にいる彼らに、もはや媚びも自己弁護もない。そこに惨めさはあっても卑しさはない。

被害者の卑しさを強調するのは、つまりは加害者の正当性を誇示することであり、これまた明確な方向性と熱を持ったアクション映画の手法と同じだ。

できれば、残酷な場面は常に過ぎたものとして、たとえば解体された惨殺死体からその殺され方を推定するような形で叙述したい。飽くまでも静的に、雑音を排して、見る者への想像の儀式として提示するのがゴシックな残酷描写の理想だ。

2　江戸川乱歩の随筆の作法――『残虐への郷愁』

江戸川乱歩の随筆に『残虐への郷愁』というものがあって、これを読むとさすがに乱歩はよくわかっていると思う。

神は残虐である。人間の生存そのものが残虐である。そして又本来の人類が如何に残虐を愛したか。神や王侯の祝祭には、いつも虐殺と犠牲とがつきものであった。社会生活の便宜主義が宗教の力添えによって、残虐への嫌悪と羞恥を生み出してから何千年、残虐はもうゆるぎのないタブーとなっているけれど、戦争と芸術だけが、それぞれ全く違ったやり方で、あからさまに残虐への郷愁を満たすのである。芸術は常にあらゆるタブーの水底をこそ航海する。そして、この世のものならぬまっ赤な巨大な花をひらく。

（『わが夢と真実』所収）

と語る乱歩の言葉はそのままゴシックの模範ともしたいものだ。この随筆にはまた、『英名二十八衆句』などで知られる大蘇芳年の無残絵を描写したところがあって、次のようである。

「魁題百選相」の中の冷泉隆豊切腹の図では、腹部の切り口から溢れ出る血と百尋のすさまじさ。もう半分地獄を覗いている顔の大写し、顔面は鼠色がかった薄緑、目はまっ赤に充血して、唇と舌とは紫色だ。芳年は死のお化粧が何と巧みであったことか。

「英名二十八衆句」では「鮟鱇をふりさけ見れば厨かな」の稲田新助、裸女つるし斬りの図。「紅逆に裁つ鮭の手料理、庖丁嬲切にす西瓜の割方」ああ、西瓜が割れている、天井から逆さまに縄でつるした全身が火星の運河である。その漆をまぜた血の光沢。だが彼女はまだ死に切ってはいない。下の方、畳とすれすれにぶら下がった青ざめた顔が、逆さまに刀におびえて細い横目を使っている。

同じ「二十八衆句」の直助権兵衛、顔の皮剝ぎの図。「あたまから蛸に成けり六皮半」額に切り口をこしらえて置いて、そこを摑んでメリメリと、顎の辺まで顔一面の肉を剝ぐと、下には血まみれの骸骨が、まんまるになった目を引きつらせ、長い長い歯を食いしばっている。グッと握りしめて、青畳の上に芋虫のようにころがっている両手の構図。あの腕の表情の恐ろしさは、別の「東錦浮世稿談」の蝙蝠安の斬りつけられてヨロヨロと逃げ出している手と足の、あるにあられぬ表情とともに、芳年構図の圧巻であろう。

（同前）

こういった描写が理想である。これはもともと絵を見て説明しているのだが、あらゆる残虐描写はこのように距離を置いて絵を説明するようにされるべきである。ここで「ああ、西瓜が割れている」と用いられる「ああ」は『責苦の庭』の処刑役人の欲望に満ちた「ああ！　ああ！　ああ！」と異なり、「ああ無情」というに近い溜め息混じりの、遠い景色を眺めるさいの詠嘆であることも告げておきたい。

大蘇芳年「英名二十八衆句　稲田九蔵新助」1867 年

嗜虐の喜びをあらわにすることは、言わば、はしたないことだ。だが、それを正面から認めつつ書くのであればもはや否定しようのない事実を突き付けられる気にもなる。サドの描くオルギア的場面にはこうした冷徹さがある。描かれるのは徹底した暴力だが、サドはそれを理路整然と語ってゆく。その翻訳者澁澤龍彦は別の著作で「幾何学的精神を尊ぶ」と言った。おそらくサドの描写を読むことから始まった志向だろう。

3　サドとその後裔——『悪徳の栄え』『マルドロールの歌』

広間では四十歳ばかりの男（この男は司祭でした）が、天井から髪の毛によって吊るされた十五歳ばかりの大層うつくしい娘を相手にしておりました。男が女の身体を針でぶつぶつ突き刺すので、身体中から血がしたたり落ちておりました。男はあたしの尻に噛みつきながら、クレアウィルを栽尾しました。二番目の男は、二十歳ばかりの大層な美人の、乳房と顔とに鞭打を与えておりました。彼は、お前たちも鞭打を与えてほしいかと、あたしたちに訊くだけで満足しました。三番目の男は、片足によって犠牲者を吊るしておりました。こんな風にぶら下げられた人間を眺めるくらい、愉快なことはありません。彼女は十八歳ほどで、見事な肉体の持主でした。こんな恰好にすると、玉門が大きく開かれるものですが、男は鉄の棘のある棒をそのなかに突込んでおりました。あたしたちを見ると、男はぶらさがった娘の片脚を引っ張ってくれと、クレアウィルに頼みました。こうすると局所がいよいよ開くのだそうです……またたく間に、あたしたちはふたりとも犠牲者の零す血に、全身しとど覆われてしまいました。四番目の男は、六十歳ばかりの法律家でした。彼は焼網に十二歳ほどの、まだごく幼ない娘を縛りつけ、大きな炭火の焜炉を気の向くままにあちこち動かして、娘の身体を満遍なく炙っておりました。この残忍な男が肉を焼く楽しみを満喫しているあいだ、憐れな娘がどんな悲痛な叫び声を発していたか、それは皆さまの御想像にまかせましょう。

（澁澤龍彦訳『悪徳の栄え』）

それからラ・リッチアは、鉄の棘の生えた靴をはいて、二人の男に左右から体を支えてもらうと、壁に押しつけられた娘の腹に、腰をひねって力いっぱい足蹴を加えました。娘の腹は破裂して血まみれになり、彼女は縄目から上の半身をがっくり折り曲げると、あたしたちの前に、月足らずの胎児をひり出しました。時を移さず道楽者が、泡立つ腎水の奔流を胎児に注ぎかけました。この場面のすぐ近くで、前門後門に物されながら、若い男の児の一物を親嘴していたあたしも、ラ・リッチアの完頂するところを見て、堪らず埒をあけないわけには行きませんでした。クレアウィルはと見ると、彼女も栽尾されながら、少年を鞭打っておりましたが、やはりあたしの真似をして首尾しました。シャルロットは前門を物されつつ、一人の少年を親嘴し、二人の少女を千鳥し、さらに自分の目の前で、妊婦の腹を鞭打たせておりました。フェルヂナンドは真赤に焼けた釘抜きで、一人の少女を切りこまざきながら、別の相手に親嘴してもらっておりました。完頂間近いと見るや、彼は解剖刀を手にして、犠牲者の乳房を切り取り、あたしたちの前に放り出すのでした。

（同訳『悪徳の栄え（続）』）

サドは虐待の経過だけを語りたいので、「憐れな娘がどんな悲痛な叫び声を発していたか」といったことは省く。そこに被害者の言葉はほとんどなく、ただ刻まれ殺されてゆくのは崇高ですらある。

サドの末裔としてたとえばバタイユは代表的だろうが、嗜虐という面に関してであればロートレアモン伯と名乗った詩人イジドール・デュカスはどうだろう。その生涯一冊の散文詩集『マルドロールの歌』は、さまざまな要素を含み、ときにアンドロギュヌス、ときに死体となった自己、極端な人間憎悪、といったようにゴシックハートの反応するモティーフに富んでいる。
　その第一の歌に含まれる次のような一節。

　先づ二週間ほど爪を伸しておく必要がある。おお！　上唇のうへにまだ何も生えてゐない、眼をぱつちり開いた子供を、ベッドから否応なしに引き離すことは、その美しい頭髪を房々と後ろに垂れさせた儘で、彼の額の上にさも優しげに手をあててやるやうに見せかけることは、なんといい気持のことであらう！　そして、誰れひとり予期してゐない時を見はからつて、出し抜けに、彼のやはらかい胸の中にその伸びてゐる爪を突き刺すことは。尤も、彼が死なない程度に止めて置くべきなのである。なぜなら、若し子供が死んだとしたら、後で、彼の哀れな様子が見られなくなるからである。そのうへで、人は傷口を舐めながら、その血潮を吸ふのであるが、その間、それは永遠のやうに何時迄もつづく筈だが、子供は泣きわめいてゐるのである。

（青柳瑞穂訳）

　遠くサドからの谺が感じられる口調である。

6

身体

前の章で私は、苦痛と受難と悲惨の源泉である肉体、と書いた。だが、肉体のもうひとつの意味をも忘れることはできない。それは限りない魅惑と嫌悪の源泉であることだ。

ゴシックは、常に肉体の地獄と魅惑を深く意識する。予め肉体への執着と嫌悪を無視して遥か先の形而上学へゆくことは決してない。

1　肉体という呪縛

肉体なしに意識も思考もありえない。わたしたちは肉体によって存在し、肉体によっておのおの孤立している。

精神と肉体という二元論は主にヨーロッパで発達したように見えるが、実のところ、「精神」「意識」「魂」「霊」（ヨーロッパでは歴史的に魂と霊をも区別する）などを厳密に区別しなければ「身体とそこに宿る心」という考え方は世界中にある。多くの宗教の伝える死後の世界というヴィジョンは肉体が滅んだ後も「何か」が残るという確信なしには難しい。おそらく、人間はどこかで、肉体と、それを意識している自分という分裂の経験にぶつかってしまうのだろう。

すると近代では特に、自分という意識によって自己の肉体が動いている、という錯誤を自明の前提として認めてしまう。

もともとは肉体があってその機能のひとつとして意識という仮の指令者が存在させてもらっているだけなのだが、われわれは何やら、先に意識があり、それが肉体という使い勝手の悪い乗り物を動かしているという錯覚に陥ってはいないだろうか。実は意識なしにも肉体は立派に存続し、機能する。ただ、食の摂取や排泄、生殖、自己管理などのさいに、より有為な状況を選択するための判断が必要なので意識という便宜が生じただけだ。意識とは大変に脆く、途絶えがちで首尾一貫しない、記憶の連続体でしかなく、また記憶とは変容・欠落し易いものである。さらに意識は、他者の視線を反映して成立するどこまでも相対的な働きである。それを取り囲む他者次第でいかなる様態にもなりうる。


だが、意識による以外に、私たちは「主体」を得ることができない。

近代は「主体」がすべてを決定すべきであるという表の論理を成立させると同時に、実は「主体」などというものが確固として存在するわけではないのだという裏の論理を潜め、両者を顕教と密教のように語ってきた。こと改めて「実は主体などなかったのだ」と言うと逆説的に聞こえるが、それはわざわざ口にしなくても、われわれの日々の体験を意識が謙虚に認めようとしただけのことだ。「主体」とは、肉体の便宜である意識の、そのまた剰余でしかない。

意識は絶対でもなければ主人でもない。それはもはや言うまでもない。だが、それでも精神と自称する意識が、肉体という劣化し易く故障も多い、なかなか意志どおりにならない構造物によって、困惑し、苦心し、またときには安楽や幸福を感じている、という二元論的発想から完全に逃れることは、近代人であるわれわれにはやはり難しい。

そこで、意識の宿る筈の臓器である脳を、どうにか劣化させずに生かしておくことができれば、他の臓器がすべて代用であっても、その人間の「人格」は存続するだろうという予想は現在多くの人に共有されており、これに関しては技術の発達次第である、と思われているのも事実だ。

完全サイボーグ化が達成されれば肉体という呪縛から逃れることができると考える人は多いのではないか。

おそらくそこにはひどく安易な「途中省略」があるに違いない。サイボーグ化という階梯を経る間に、意識の肉体への依存性を証明するのっぴきならない問題が生じる可能性は十分ある。とはいえ、今、肉体の人工化への夢想がある程度共通のヴィジョンとして存在する以上、そこから生産されてくるイメージもすべて意識が肉体を支配する、もしくはそうすることが望ましいという判断を保持し続けている。

さて、ここまで「肉体」と書いてきたのは具体的で唯一の生身の物体としての体の意味である。以下、意識者によってイメージ的に認識される体については「身体」と呼ぶことにする。それは必ずしも生身とは限らず、人工物である場合も含む。

身体は僅かでも損なわれると意識に多大の苦痛をもたらす。指の先に傷ができただけで痛みが生じる。もし指一本が切断されたらその苦痛は相当に耐え難い。

こうした経験を予備的に知っている私たちは、身体が壊れ物であることを認め、その保存には細心の注意をはらっている。

身体は常に私たちに不安をもたらす。その不安は病気や事故で身体が不自由になる、あるいは不自由にならなかったとしても形を損なわれるだけで不幸を感じることから来ている。さらに、無事に日々を過ごしていてもいずれ老衰によって不自由と形態の劣化は進むと感じている。「老いはマイナスではない」というスローガンもあり、老いを劣化ととらえてはならないという趣旨に賛成はしなくもないが、資本主義社会でその目的が達せられるとは思えない。せいぜい十分に裕福な層の特権として「美しい老い」の生活が成立するに過ぎず、このまままわれわれの社会全体が老いを健やかに受容することはないだろう。労働を義務づけられた者にとってそれは絶えず遠ざけておかねばならないハンディキャップでしかないからだ。結局「われわれは壊れつつある」という認識に帰ってくる。

「損なわれる」という後天的なことばかりでなく「もともとの形態が望ましくない」と

いう条件からも人は多大の不幸を感じる。

するとそこからの解放の手段として考えられる整形はサイボーグ化への第一歩なのである。それればかりではない、タトゥーもピアスも髪を染めることも事実上サイボーグ化の入口である。私たちが身体を居心地の悪いものと感じているのであればいかに否定の声が強くとも身体改変の技術は進むだろう。そしてわれわれは今のところ、身体に規定される意識であることからできるだけ逃れ、意識に合わせて身体を規定したいという止み難い欲望を持っている。ゴシックの精神はそこに注目する。

ゴシックは決して「ナチュラル」の思想ではない。それは身体への加工と改変を常に望む心でもある。

2 サイボーグ的超越――『攻殻機動隊』『銃夢』

ゴシックハートの反応したサイボーグ物語について、少し語ろう。

まず、アニメーション、および漫画での『攻殻機動隊』だ。アニメの監督は押井守。原作者は士郎正宗。

西暦二〇二九年、人々はその肉体をさまざまなレヴェルで機械化し、また電脳ネットと脳そのものを直接接続することを可能にしていた。その最高度のレヴェルは、義体とよばれる完全人工化されたボディに脳だけ人のそれを持つサイボーグ、さらに全く意識だけで電脳ネットに棲む極限的存在である。しかもその意識はヒロインとの精神的融合による「結婚」を意図し、遂にそれは成立する。

これがメインストーリーで、そこに政治的な謀略が挟まる。だが、基本的にヒロイン草薙素子(くさなぎもとこ)による未知への探究譚と言ってよいだろう。アニメーション版は精密奇抜なアクションのわりにストーリー的な起伏が少ない。

また結末で自らの義体を破壊してしまったヒロインが少女のボディを得て再生するアニメーション版よりは、手に入るボディが男性のそれしかなかったために性転換を実現してしまう原作の方がよりラディカルである。

アニメーション版『攻殻機動隊』(海外版の題名は『GHOST IN THE SHELL』)にはかなり意識的にタルコフスキー調の水の描写などがある一方、ドラマ性は希薄で、かつ細部が緻密で、そもそも絵柄自体が「アニメ的」でない。このあたりはときに「芸術ぶっている」云々という批判を呼ぶ理由かも知れない。

しかしこの作品にはそうした「出来」とか「意図」といった面以外で反応したい。それは、肉体という不自由、その肉体を根拠として生ずる血族関係という決定的な不如意、性別という堅固な区分、従来「自分」を最高度に規定してきたこういう重苦しい要素すべてを本質的でないとして切り捨てた後に残る意識とは何かということについてだ。ここで大切なものはストーリーでもプロットでもない。描写や演出、音楽等、好ましい部分も多いが、それゆえに高い価値が認められるわけではない。自意識という幻でしかないものを本当に幻と感じさせてくれることの実践としてこの作品はあり、その機能こそが私にとって貴重なのである。

サイボーグという発想は一九五〇年代からある。また人工の女性というならヴィリエ・ド・リラダンの『未来のイヴ』があるが、こちらはむしろ「人形」のテーマに続くものと言えそうだ。

われわれは『8マン（エイト）』『サイボーグ009』『仮面ライダー』も『ロボコップ』も知っているが、それらは皆「サイボーグにされてしまった者の孤独と悲哀」という感傷に回収されてしまうものばかりだった。『攻殻機動隊』ではそのテクノロジーの完全性と社会的普及のゆえに肉体を人工物に置き換えることが何ら悲劇的でも不本意でもない、近視の人が眼鏡をかける行為の延長のようなものとしてとらえられ、その前提の上での思考が示されている。すると、そこでは人間と機械の区別さえ曖昧となってゆく。

こうして、サイボーグになることは、肉体の一切を自己決定できることなのだ、と教えられ、ばかりか、脳までもコンピュータで代用し、そのような形で人工物に記録される「自分」とはまさにシェル（殻）の中のゴースト（精神＝幽霊）でしかない、実体のない不思議な交通点なのだ、と考えさせられる体験はある強烈な快感を与えてくれる。

士郎正宗『攻殻機動隊』講談社、1991 年

それはおそらく私のような者の思い描く「自由」の極限である。またそれを快と感じるのは、身体という限定に抱く圧倒的な飽き足りなさ、また人格・役割というものが外部から固定されてゆくことへの嫌悪の反映なのだ。

『攻殻機動隊』はひとつの究極の物語を示唆してくれる。そこで私たちは自由に性を交換し、身体を取り替え、電脳内での融合・分裂を繰り返し、もはや誰とも知れない何かになってゆくだろう。この自己異化と変身への欲望はおそらくある種の人々にとって宿痾と言える。愚かしいだろうか？ いくら嘲笑されてもそうなのだから仕方がない。そして、これは何度も強調しておきたいが、強烈に魅惑されたことのない事柄に関して「とるに足りない」と言うことは何より容易いのだ。

アニメーション版『攻殻機動隊』のクライマックスで、草薙は戦車のハッチを開けようとして能力の限界を越え、自らの義体を破壊してしまう。さらに空からの攻撃によって動作不能となる。自力で修理施設に辿り着けない場合は脳も死ぬ。このときはたまたま相棒のバトーに首だけ拾われて助かるのだが、この、自己の身体を自己の意志によって機械として使い潰すというところにはある崇高さが見えている。このとき草薙は、身体よりも意志を優先させたのだ。

この種の崇高を追求したものとして『銃夢』という漫画も思い出される。作者は木城ゆきと。題名は「ガンム」と読む。重箱読み・湯桶読みどころではなく「英語訳読みプラス音読み」というこの題のつけ方について私はあまり賛成できないが、内容はなかなか読ませるものがある。ガリィという少女型のサイボーグが、差別的に分割された世界の「下界」の方で果てしない闘争をくり広げる未来世界SFということになるが、ガリィの戦い方は到底生身にはありえない様相を見せて読者の潜在的な願望を満たす。手足の損傷は意に介さず、上半身だけになっても攻撃をやめないその闘争の意志は、私たちが常に願う、意識の身体への優先を映像化したものと言える。幾重にも保護された脳だけが自己で他の身体部分はすべて「乗り物」という場合、彼は脳以外の身体損傷を怖れる必要がなくなる。そして意志のために身体を犠牲にできる者には、かつてヘーゲルが『精神現象学』で告げた死を怖れない「主人」の特性が見え始める。

それは超越の映像化なのだ。またそれは生身の肉体の呪縛から解放されることへの夢とも言える。

3　権力としての美貌

だが待とう、超越への願望、自由への憧れ、変身の欲望と期待は認めるとして、ではあれほど肉体に執着していたゴシックの心は、ここへ来て肉体を忘れ去ろうとしているのだろうか。

そうではない。図らずも『攻殻機動隊』の結末が示していたように、いかに身体を自由に交換できる場合でも、選ばれる身体の形態は今の私たちから見て美しいものなのである。私たちのほとんどは、ただ機能的なだけの醜い（と今の私たちに感じられる）ボティを自らのものとしたいとは思うまい。現在ある身体への美的規範は連続している。もしこの美意識が変容するとしてもそれは『攻殻機動隊』的世界を経験し尽くした後のことだろう。そのとき現われる異形の身体にもまた強い興味を感じはする。それは既に過剰なピアッシングやインプラント、タトゥーなどのボディ・モディフィケーションとして姿を現わしてもいるようだ。

だが、少なくとも今われわれにある自己の問題として考える限り、身体についての美的形態への執着からは逃れ難いのも事実である。

容姿の美醜はその時代・地域社会共同体に共有された美の規範によるものでしかない。だがその共有された美の規範の規定力を免れる者はいない。「美醜なんてただの流行なんだ」と言うのは容易いが、ではそれを言う人には好ましく執着してしまう容姿というものがないのだろうか。それはただの流行だから自分はどんな容姿の相手でも愛せると言えるだろうか。

美醜の判断は大変に深いところで私たちの認識を規定している。容姿だけで他者の価値を決定するのは愚劣ではしたないことだとわれわれは知っている。だが知っていても往々にして現実の判断には役立たない。私たちは好ましい容姿の相手にはつい無根拠な好感を抱き易い。逆もある。その好ましさを決定しているもとを辿ればやはり顔かたちに関する共同体的な価値観だ。

このことはときに意識にとって地獄である。意識は身体の形態を自分で選んだわけではないからだ。そして意識の関与できない身体の形態が意識そのものの価値まで決定してゆくとき、意識はひどく無力である。

ならば、意識を身体より優位なものとするための人為的な身体形態の改変という技術もまた必要とされてくる。それが美容整形である。

すると、意識と身体の二元論に立つ場合、こういうことも言える。意識の優位を望みながら、整形という行為の意味を否定する者は不徹底な折衷主義者である。もし容姿をいくらか修整すれば僅かでも意識の立場が変化すると当人が予想するのであれば、整形も選択肢のひとつとすることに文句を挟む理由はない。

現在、エステと整形が産業として成立し、それにより必要以上に身体改変への誘惑が囁かれているという意見はもっともなものであり、その広告に語られる「見かけを変えれば自信がつき人生も変わる」などという言葉もあまりに短絡的だが、整形という医療が意識的「主体」の期待に添って発達した技術である以上、それが自己の身体の形態に不満を持つ意識から救済として求められてゆくことも必然である。先に告げたようにそもそも意識は身体を規定するのではなく実際には身体が意識を規定しているのであり、しかも意識は他者の視線によって成立しているのだから、身体とそれへの他者の視線の質が変更されれば意識も変わると考えることは極めて論理的だ。

　身体改変の物語は古くシャルル・プリニエの『醜女の日記』のように「整形することは幸せをもたらさない・天から与えられた身体を自己の意志で変更することは誤りである・身体はあるがままがよい・醜いと思われる容姿にも美点はある」というモラルの展開であった。だが、あらゆる局面で容姿による差別を実感している人々にとって、そうしたモラルは、生まれつき優れた容姿の者にだけ有利な、腹立たしい抑圧でしかない。「何が誰にでも美点はある、だ、そんな貧しいビなんかいらねえよ馬鹿野郎」「誰にでもわかる美という富を私にもよこせ」それが整形の実相だ。

　ところで「幸せ」というのは、周囲の他者と当人の価値観、相互の認識によって決まるものだから、これと容姿とを直接比例もしくは反比例の関係と簡単に決めてしまうことはできない。そうではなく、容姿のよさへのこだわりの強い者にとって、容姿というものが、ある差別の根拠となっていることが何よりの問題なのだ。そこには当人が明確に意識はしていなくとも、よい容姿の者にはよくない容姿の者を軽蔑し自らを誇る権利があるとする「権力としての美貌」の認識が隠れている。その認識によれば醜い者は権力を持てず、そうであれば確かに不幸である、ということになり、そう感じる者が美という権力を求めて身体の形を変えるのだ。

むろんこれもまた整形という営為の一面でしかないだろう。だが、ゴシックの精神はこの「美しさの権力」に最も注目する。

ゴシックの認識から言うなら、容姿の美しさを望むことは幸福への願望ではなく、事実上、権力への意志である。露骨に言えば容姿によって他者を軽蔑する権力を得たいから、人は容姿をよりよいものにしたいと願う。得る権力が大きければ大きいほど満足と幸せも得やすいと考えられる。動機は幸せへの願望だったかも知れない。だが、実は幸福感などという不確定な結果は整形という行為にとって二次的なものである。整形が成功した場合、最初に得られるのは昨日までの惨めで醜い自分と今の自分との断絶感だ。それは惨めで醜いものを嫌悪する資格の獲得である。もともと彼は彼女は、醜さを存分に嫌悪したかった。しかし自分自身の身体がそれを許さなかった。だが、身体の形態を変え、「美しい人」の側に立ちさえすれば、どこまでも冷酷になれる。

つまり、容姿の劣る部分を意識していた者がそれを望ましく変更するという行為は（幸せそのものではなく）かつて抑圧されていた当人の高慢さと権力への意志をより意識化させる。

そもそも、他者への権力を意識しない者は容姿にこだわりはしない。初めから容姿が気になって仕方ない人とは、どこかで他者に抜きん出たい、特別の存在でありたいと望む人であることが多くはないか。

その欲望を非難するつもりはない。ゴシックハートは、その高慢を、その自尊心の荒野を、肯定する。だが、幸せになりたいからそれを望む、などという不徹底な言葉は認めない。事故や病気で損なわれた容姿を補うといった便宜でなく、自発的に、生まれながらの容姿を変更しようとする意志的な整形は、権力奪取のための行為と考えるべきであり、その結果として幸福になろうがなるまいが、それは問うべきでない。他者より卓越したいから整形するのだ、幸せは関係ない、私は自らを誇りたい、と言い切る人の心意気をこそ私は認める。

4 選ばれなかった者の挑戦――『ヘルタースケルター』

では整形による「これまでの自分との断絶」は何をもたらすか。

そのひとつの答えが岡崎京子の漫画『ヘルタースケルター』だ。

ひどく肥満して醜かった比留駒はるこは、あるとき芸能プロダクションの経営者「ママ」からその骨格の優れていることを見込まれる。骨は変更できないが、筋肉・脂肪そして皮膚はすべて改変が可能だから、というのが彼女が選ばれた理由である。はるこは特殊な技術を持つ医師による全身整形を受けた上、りりこという名でモデルとしてデビューし、圧倒的な人気を得る。だが、完璧に整えられた彼女の肉体は、整形を行なった医師によるメンテナンスが絶えず必要で、電気的治療と特殊な薬品なしでいるとすぐ痣が生じ肉が爛れ、やがて全身が崩れてしまう。むろんこんな人工的な無理を長く重ねていられるはずはないと、りりこも知っている。いずれ途方もない破局が来る、自分は以前よりひどい容姿になって誰からも見捨てられる、と予測している。そうなる前に、安心な立場を得てしまおうとあがく。ママの指示通りアイドルとして多くのメディアに出演する一方、気に入らない相手への攻撃を密かに繰り返し、自分に逆らえない者はさんざんにいたぶる。そうするうち、用いる薬の非合法性の発覚から医師の治療は中断され、もはや美貌を維持できない日がやってくる。

この漫画で画期的だと思うのは、たとえばかつてのバレエ漫画で言うなら、純真で理想をめざして努力し認められてゆくけなげなヒロインのトウシューズに画鋲を入れる役回りである、嫉妬深く性悪な女の子の方を主人公にしたところである。必然的に物語は愛を求める方向にも理想を探求する方向にも行かず、ひたすらな権力への欲望と満たされなさが剝き出しになる。そこが潔い。

主人公りりこは全く邪悪で無垢から遠い。だが容姿は誰が見ても完璧である。彼女の内面さえ知らなければ誰もが愛し憧れる。それを彼女ははっきり意識していて、自分の価値は容姿だけだと見切っている。他者の知らない「本当の自分探し」などやらない。「自分」の価値は他者が決めるものでしかないこと、他者に見捨てられれば無価値であることを初めからわかっている。そして他者からの憧れの視線を確保している限り、陰でいかなる邪悪な企みを行なっても何ひとつ恥じることがない。見られていないところでなら何をやってもよいと考えている。そして実行する。

「うーん

恋はいつでもしてたいけど……

恋に恋するのと人を愛することってちがうと思うしィ～」

（ホラ　こういうのって聞きたいでしょ）

「恋を失うことも大切な自分の一部をつくると思うんです」

（これはあたしが言ってんじゃない　あんた達が言わせてんのよ）

「そうですね

いつもワクワクしてたいなあ

自分が元気でいることで人にパワーをあげられるような気がするから」

（あんたたちそう思いたいでしょ？　だからあたしが言ってやるのよ）

「　」内はりりこが公のメディアで発言している言葉、（　）内はりりこの内的独白だ。醒めて皮肉な、そして自身がアイドルであることに幻想を持たないりりこの意識がよくわかるところ。

これらに対し、医師の非合法医療の証拠としてりりこの秘密を追う検事は、りりこの発言には全く定点がなく、彼女がメディアで発言することは表面だけであり、我々の欲望そのままだ、と解説していた。

りりこのプロデューサーであるママは、整形の後遺症によって激しい頭痛を訴えるりりこを前に思う。「おまえはとてもみじめで貧しくみにくかったがこんな痛みは知らなかっただろう…こんな類の涙は流さなかっただろう…」

こんな類の涙、とは身体改変後の苦痛によるそれをさすが、他者の欲望をすべて反映して存在する者の荒廃と寄る辺なさのもたらす涙でもあるだろう。

だが、みじめで貧しく醜い者の悲しみより、美しく憧れられる者の激痛を、りりこは選んだ。この選択をよしとする心は誰しもあるはずだ。そしてそれを拡大すれば、みじめで貧しく醜い者として生きるくらいなら死んだ方がまし、という偏った、しかし正直な権力意志となる。それはかつての少女漫画の主人公にはなかった邪悪な欲望だが、彼女たちは実のところ最初から選ばれていたからこの邪悪を持たずに済んだだけなのだ。貧しい者はその貧しさを憎むあまり、魂を売ってでも富を手にしようとする。その切実さをわかっていない者が「見かけより心の豊かさが大切」などと空疎なことを言うのだ。そう言えるのはもともと物質的・身体的に豊かだからに他ならない。『ヘルタースケルター』は最初から美しく選ばれている者の物語ではなく、醜く、選ばれず、主人公の資格がない筈の娘が無理矢理主人公となった物語なのだ。

「私は私を入れるような倶楽部には入りたくない」

つまり

「私は私を愛するような人間を愛したくはない」ということ

地の語りとして示されるこの言葉はりりこの望むところを示している。憧れとは不可能を得たいと望むことである。

やがてりりこの前に、無整形のまま「ナチュラル」に美しい少女があらわれ、りりこは激しく憎み嫉妬し、顔に傷を負わせようとする。それは成功せず、ばかりか、彼女、吉川こずえは、りりこが整形美女でありそれゆえ自分を憎んでいたことをあるとき、知る。その後に挟まれるナレーションとこずえの科白が次だ。

若くて美しい吉川こずえはりりこの秘密を知ってしまう

しかし彼女はその秘密を人に決して話すことはしないだろう
何故なら彼女は本当に若くて美しいものだけがもつ尊大なプライドをもっていたから
彼女は思う
「面白いけど
ばかみたい
だからりりこはあたしを嫌ってたのね」
「あんなに
白雪姫のまま母みたく」
「くだんないの
人間なんて皮一枚剝げば血と肉の塊なのに」

「くだらない」

しかし彼女がごうまんにそう思うのは彼女じしんがその皮一枚で美しいからである
生まれたときから

こずえはまた、社長である「ママ」から「あんたは有名になりたい？　お金もちになりたい？　きれいな服がきれて雑誌やＴＶに出てみんなが自分を知ってるのってうれしい？」と問われ、一度は「そりゃもちろんっすよ‼」と言うが、無理せず正直に答えてみなさいと言われ一転して次のように答える。

「別に…なんでも…どうでもいいです
有名になるとか
お金とかも別に……
でも別に他にやることもないし　出来ないし…
服も好きだけど…
そんな…別に…
いつかみんなあたしのこと忘れちゃってもいいです
20年10年
ううん5年たったら
きっとあたしのことなんてみんな忘れてる
むしろそのことのほうがたのしみです」

これがこずえの実際の心境と作中ではされているわけだ。つまり、最初から豊かな者は注目されることにも執着しない。だがりりこは貧しかった過去を補おうとするかのように、注目され憧れられ愛され、他者に抜きん出ることばかりを望む。

余談だが、少女漫画の大家一条ゆかりの単発作品に『雨のにおいのする街』というものがある(原作はこんのみつあき)。これは天才少年と超能力少女が手をたずさえて原子力発電所の暴発を防ぎ、かつ結ばれるラヴストーリーで、物語としてはそつのないエンターテインメントとなっているが、例によってこの二人の恋路を横から邪魔するいじわる娘が登場する。彼女はラストシーン近くで恋人を得られず取り残されている様子をコミカルに示され、それがいわば二人の邪魔をしたことへの「罰」として読めるよう描かれている。

これに対する感想として、ある女性がメインの物語には特に言及せず「何よりあのいじわるな役回りの女の子が可哀想」と告げた。

彼女の言葉はそれだけだったが、今考えれば、なかなかゴシックな見方だったと思う。ほとんど最初から成功を保証されている選ばれた好一対のカップルに比べれば、いじわる娘の方はせいぜい「普通の女の子」なのだ。いつも選ばれず取り残される娘たちが、既にあるその事実という不条理への精一杯の抵抗として、選ばれた者たちに無用な攻撃を加え悪巧みをする。それでも選ばれていないという事実が変更できるわけではなく、やはり選ばれた者たちは約束された幸運を手にし、周囲からは賞賛され憧憬される。そして自分は厭な女として憎まれる。この物語は美しく特別な能力を持つ似合いのカップルの成功を描きながら、同時にこの世界の役割の変更不能という無慈悲を描いているのだ。

と、その女性はこんなことを感じていたのではなかっただろうか。

選ばれなかった娘には罵倒と孤独しかない。選ばれた者たちの邪魔をしたからと言うが、それはそもそも「何をしても選ばれない」という事実があるからではないのか。ならば、ある過激な方法によって、人であることを半ばやめてでも、「選ばれ」に成功する娘の物語があってもよいではないか。

ふとこんなことを考えさせられてしまう。

『ヘルタースケルター』でひとつ重要な条件となっているのは、りりこの整形が一度やれば完了というものではなく、完璧な容姿を作れるかわり一定期間おきにメンテナンスを繰り返さないとそれが維持できないという技術の限界である。そういう技術が現在あるかどうかはともかく、「整形しさえすれば後はずっと綺麗でいられる」というのでは、老いがあらわとなる年齢まで、いわば「ナチュラル」な美人と変わらずにいることになる。

だがりりこはその美しさの維持のため、多量の薬を摂取し、また痣が生じるたびに医師のもとへ赴き手術台の上で奇妙な器具をつけて治療を受けなければならない。治療の様子はそのままフランケンシュタインのモンスターが台上で「生体電気」を通されている場面と同じである。身体を全面的に科学医療技術に委ねているりりこはフランケンシュタインズ・モンスターのヴァリエーションだ。むろんモンスターと異なり醜くはない、どころか突出して美しい。しかし治療が途切れればたちまち痣だらけとなる時間限定美女である。りりこは、既に人外（にんがい）であることの意味を知った女だ。

人外となってでも、りりこは美しくあることの傲慢を得ようとした。他者に自己の価値を認めさせるためなら苦痛にも耐える。その苦痛を埋めるように、他者を憎み苛みじたばたと無用な混乱（＝ヘルタースケルター）を引き起こす。

だがそれをただ愚かなだけとは思えない。むしろ自他を損ない汚れながらも高慢であり続けようとする意志がゴシックハートに痛々しく共感される。

あるきっかけからりりこはその過去と整形の事実をあばかれ、今度は見せ物のような意味で注目される。最後のインタビューを受ける直前、失踪し、後には多量の血と眼球がひとつ残されていた。自分で抉り出したらしい。これは作者岡崎京子がかつて最も愛すると語っていた映画のひとつ『ベティ・ブルー』のラストを模したものだろう。こうしてりりこは伝説となった。それは文字どおり「ゴースト」として都市に君臨するのと同じことである。

しかしさらに五年後、いまだモデルとして人気を保ち続けていた吉川こずえ（強い欲望がないので期待しすぎ落胆することも燃え尽きることもなく有能に仕事を続けていたというわけである）は、メキシコのあるクラブでフリークショーに出演しているりりこを目撃する。そこでTO BE CONTINUEDと記され終わる。

続きが本当に書かれる予定だったのかどうか知らないが、作者岡崎はこの後、交通事故に遭遇し執筆不可能となったまま現在に至る。僅かずつ快方に向かっているとは伝え聞くのでいつか復帰することを切に祈りたいが、ただ、現在のところ、事実上『ヘルタースケルター』は岡崎京子最後の作品となっている。

ここで少し、岡崎京子の漫画に見るりりこ的存在の系譜を見てみよう。

岡崎はデビュー以来、欲望に忠実な少女たちを多く描いてきたが、それらは一貫して「キュート系」だった。容姿のよくない太った少女が主人公になることは（ごく僅かに例外があると聞いてはいるが）ほとんどなかった。ただ、一九九三～九四年、コミカルで明るい描写をできるだけ抑え、シリアスで痛々しい物語として発表した『リバーズ・

エッジ』には、主人公となる少女・少年とは別に、一人の肥満した醜い娘が登場する。彼女には、華美に装い常に男性から欲望される容姿の妹がいる。一方この姉は男性から愛されたいといった願望を放棄もしくは嫌悪しており、「ヤオイ」と呼ばれる女性向け男性同性愛ポルノグラフィーを書き「コミケ」（コミック・マーケット）に通う、いわば「女のオタク」ということになっている。ダイエットすることもなく、他者に魅力を感じさせたいという種類の願望からは完全に下りている。だが、ふとしたいさかいから妹に「ブタのくせにうるせーんだよ!!　ブヒブヒ言わずブタ小屋帰れ!!　あー!!　うざい!!　出てけ!!　ブス!!　くだんねーホモ漫描くんじゃねぇよ!!　早く男つくれ!!　すこしはやせてみろ!!　ブタ!!」と言われ激昂し、カッターで妹に切りつけ怪我を負わせる。

ここでの太った姉には、しかし、当人からの意味ある心情吐露も当人に寄り添った心理描写もなく、何を考えているかわからないモンスターのように描かれていた。あまり言葉もなく突然襲い来る姉はストーリー的には異物的存在で、このとき、作者に「女のオタク」への感情移入は全くないように読まれる（註：この姉は二〇二二年現在なら「腐女子」と呼ばれるべき存在だが、当時はまだ現在の「腐女子」がそうであるような形では認知されないひたすらな賤民的存在として描かれていて、それはまた当時、今より蔑称としての意味が強かった「オタク」の、その女版という位置なのでこのように記した）。

ところが、『リバーズ・エッジ』発表の少し前、八〇年代初頭の上京少女物語として描かれた『東京ガールズブラボー』（一九九〇〜九二年）には、丸玉玉子というこれまた太った容姿のよくない少女が登場し、彼女も主人公ではないのだが、外部でしかない「太った醜い女」とは少し意味が違っている。玉子は、自分の憧れる少年が片思いしている主人公の少女を従来の型通り逆恨みし、いじわるを繰り返したあげく、たまたま少年が「あんな気持悪い女は愛せない」と言うのを聞いてしまい、そのまま早退、以後長期欠席を続ける。だが、何週間か経ったとき、誰も見たことのない美少女が登校してきて「丸玉です」と告げるのだった。明らかに彼女は彼に愛されるため整形してきたのだ。

この後、玉子はひどく積極的に少年に迫り、一応手に入れる（ただ彼は玉子が今美しいことは認めても、心から愛することはできないもようである）。また玉子は主人公の少女に対し後になって「本当は彼ではなくてあなたの方を好きだったのかも知れない」と言う。つまり、整形してからの玉子は自分の役割とともにその世界観を変えたのだ。

玉子にはその名前からもあきらかに楳図かずおの『赤んぼう少女』タマミのイメージが反映している（『赤んぼう少女』については8章で語る）。だが、ここでもっと注目したいのは、このとき作者が、「太った醜い女」にいくらか人格を認めていることだ。玉子は「とんでもなく思い込みの強い女」ではあってももはや言葉を持たないモンスターではない。愛されない自己をそのままにしている「太った醜いオタク女」は全くの他者だが、整形してリベンジを試みるほどに愛されたい「欲望の強い太った醜い女」に対しては、ある程度の感情移入が萌しているのだ。ここで玉子は大変に歪んだ性格の少女ではあるとしても、主人公たちと対等に渡り合う登場人物の一人として、見ようによってはなかなか魅力的に描かれているのだった。

おそらく、この玉子を主人公にして、さらに過酷な欲望と挫折のドラマを描こうしたのが『ヘルタースケルター』なのである。そのとき、オタクの姉の持っていた異物性もまた再来し、遂にはフランケンシュタインズ・モンスターにも並ぶフリーキーで凶暴、そして孤独な、人外の超越性と非人間性とが示されてゆく。

さて、これだけ身体改変の夢を語った後も、「ナチュラル」の呪縛は残る。こずえとりりこはどちらも美しい。だが「生まれつき美しい」か「整形手術を受けて美しくなった」かによって、その情報を受け取る側には差別が生じる。そこでナチュラルは無垢であり、加工された美女はもはや無垢を持たない、というイメージがひとりでに発生する。人工・加工物は無垢でない、というそれは、そもそも「ナチュラルボーン」生まれたままで持つ特性が一番価値が高いという信仰からきている。

では、人工物に無垢はないのか？

人工物でありかつ無垢な存在はある。人形である。人形は完全な客体であるから主体という究極の「汚れ」を持たない。だが、これについては10章で語ろう。

7

猟奇

1 人体への執着

狭義のゴシックと異なるところはあるものの、類縁的な世界もここで示しておきたい。猟奇、というのがそれだ。

大正末から昭和初年にかけての「エロ・グロ・ナンセンス」の風潮の中、きわめて猟奇的な探偵小説が流行した。その後、敗戦後に一時爆発的に再流行し、高度成長期あたりには社会派推理小説の隆盛とともに顧みられることが減ったが、ある意味で戦前の状況に近いものが見え始めた一九九〇年代後半以後、そして二〇〇四年現在も（また二〇二二年現在も）「猟奇」というテーマは非常に好まれている。

もともとは佐藤春夫による探偵小説論の一節から用いられ始めた語とされる「猟奇」だが、定義は曖昧で、単に「変わったことを探り求める」という原義よりも、今は「一般から隠されたいかがわしいこと・気味の悪いこと・残酷なこと・異様なことを覗き見する喜び」といった意味に考える方が現状に近い。具体的にはネット上に見られる「死体写真」「グロ写真」サイトとか、外国で誘拐され四肢を切断されて見せ物にされていた女性の話などのような犯罪系の都市伝説、思わぬ人の淫靡な変態的行為の記録、そして残酷な犯罪を描くホラー・サスペンスフィクション等が中心的と思う。その源を辿れば戦前からの「因果もの見世物」とか「衛生博覧会」などに行き着く。敗戦後は「カストリ雑誌」と呼ばれた雑誌群に、主に性的な猟奇趣味が氾濫していたことは広く知られる。

それらの「猟奇」をよく見てゆくと人間の身体にかかわることがほとんどである。死体、異様な形態の身体、また性的な意味での猟奇も人体の問題であることは言うまでもない。

つまり、現在、猟奇とは普段大部分が隠されている人の身体とその特異な行ない、またその異変への興味を意味するのだ。よってこの章は「身体」のヴァリエーションとして書かれる。

猟奇が常に人間の身体へ向かいやすいのは、現在のところ、身体が論理や合理的思考によってはどうしても御せないものだからである。猟奇とは、知的合理的公共的な規範・価値への、身体性に代表される生のどうしようもなさからの反抗である。身体は本当は意識の主人であるのに、後から生じた意識が理知や世界観や形而上学などの思考方法によって身体を意識のしもべと位置付けてきた。とりわけ西洋的な意識は精神を最重要とし身体的な問題をただの物質的問題として技術的にのみ解決しようとする方向に進んできた。それを学んだ日本近代にも同じ身体性への軽視が生じ、そのことが逆に身体への不合理な興味をかきたてた。

人はまだ、身体に対して、冷静でいられないことが多すぎる。そして論理や常識で測れない状態に置かれた身体があるとどうしても見たくなる。それは無残な死体であったり、稀な形態の身体であったり、想像もできなかった淫猥な行為だったりする。『攻殻機動隊』の世界が現出し、意識がいかなる身体も選べ自由に使いこなせるという状況になったとき、ようやく人にとって身体は大きな問題であることをやめるだろう。そうなるまで、身体は猟奇の源泉であり続けるだろう。

ここで語ろうとするのは、だから、まだまだ決定的に限定されたわれわれの身体と、その限定から生じる絶望の様相ということになる。

2　身体欠損をめぐる物語――『芋虫』『使い切った男』『蝿男』

身体が限定として意識され易いのはやはり身体欠損による不自由の想像の場だろう。その極限を描いた小説としては江戸川乱歩の『芋虫』をおいて他にない。

四肢すべて、そして聴覚も失い、話すこともできなくなった傷痍軍人とその妻。彼はある夜、妻のサディスティックな支配欲の不意の突出によって両眼を潰され、唯一残っていた視覚まで失う。狂乱の静まった後、妻は、夫を完全な玩具にしたいという欲望が自分にあったのではないかと内省し慄然とする。夫の胸に指先で「ユルシテ」と書いて激しく罪を悔悟する。

このとき夫である須永中尉は、人の想像しうる最大の身体的不自由、動けず話せず聞けず見ることもできない状態にいる。

悲惨の極み、言語に絶する生き地獄である。彼はその地獄に生きることを肯んじず、無理をして這い、近くにあることを知っていた古井戸に身を投げるのだが、しかしこの小説は、夫が最後に、口に銜えた鉛筆で、柱に「ユルス」と書き残した行ないによって、一転、人間の意志の尊厳を称える意味を含ませることに成功していた。

とは言うものの、やはり読後の印象に深く残されるのは身体が限界まで損なわれた状態で生きるとはどんなことだろうか、という答えのない問い、怖いものの見えそうな深い淵を覗き込んだ心地である。

この小説は、須永中尉の状態を戦争による傷害としている上、途中、金鵄勲章の無価値を示唆する部分まであって、戦時中、発禁となった。それは左翼から「反戦小説」として歓迎されたことも意味しているが、乱歩自身はこれを「しかし私はこの小説を左翼イディオロギーで書いたわけではない。この作は極端な苦痛と、快楽と、惨劇とを書こうとしたもので、人間にひそむ獣性のみにくさと、怖さと、物のあわれともいうべきものが主題であった」と記している。

この自己解説に異論はない。

それにしても一九二九年、昭和四年に、よくこうしたものが書けたと思う。乱歩はそれ以前も以後も決して左翼的な思想を表明したことはなく、戦争には反対であったものの、当時の一般的日本人そのままに天皇を尊敬し日本国家の利益を望み、革命など一度も考えたことのない実直な生活人だった。にもかかわらず、その表現意欲の赴くところに従って書き進めると、当時のモラルを平気で踏み越えてしまう。

むろんこれはまだ時代がよかったからではある。年譜を見ると日中戦争の勃発した一九三七（昭和十二）年まで探偵小説は盛んに出版されていたようだが、三八年以後は急速に統制が強まり、日本の探偵小説はほぼ死滅する。『芋虫』が全面削除を命じられたのは一九三九年で、四一年までには乱歩の全作品が事実上発禁となった。

乱歩はこれを左翼イデオロギーで書いたのではないと言い、それは私も肯定するが、しかし、須永中尉の傷害の原因が戦争であった、という点が国家から睨まれる理由になったのは当然である。そして、ここまでの傷害をもたらす理由として当時、戦争以外考えられなかったのも確かではないか。

乱歩はここで、意図せずに、国家のもたらす最悪の場面を想像していた。

興味深いことに、乱歩とは全く別に書かれた、四肢欠損・視覚・聴覚・伝達能力欠落という障害者を主人公にした小説が海外にあって、それもまた戦争を原因としている。ドルトン・トランボ（註：現在では「ダルトン・トランボ」と表記されることが多い）の『ジョニーは戦場へ行った』がそれだ。

　彼、ジョニーは戦場で受けた怪我の悪化によって四肢をすべて失ったばかりか同じ事故で顔全体が削られてしまい、眼も鼻も耳もなくし、話すこともできず、意思の疎通が不可能となって病院に横たわっている。もはや意識もないものと思われていたが、ある医師は、彼の頭が一定のリズムを刻んで枕を打っていることに気づく。それは彼が兵役のおりに学んだモールス信号だったのだ。解読するとジョニーは、自分の身体を多くの人に見せろ、と訴えていたことがわかる。

　そう言えば乱歩自身、『残虐への郷愁』で「戦争と芸術だけが、それぞれ全く違ったやり方で、あからさまに残虐への郷愁を満たすのである」と告げていなかったか。『芋虫』はいわば、乱歩が、戦争という別の無残の場を存分に利用して残虐という郷愁を満たした芸術作品、ということだろう。

　またこれはおそらく乱歩の『芋虫』を知って書かれたと思われるが、山上たつひこの漫画『光る風』にも、全体主義政府の無謀で無責任な計画の事故によって四肢をなくした軍人の青年のエピソードが描かれていた。戦争それ自体ではないが、これも国家主義が国民の身体をいかようにでも蝕むことの比喩となっていた。

　絵で描かれているからそのインパクトは一層強い。

『芋虫』は一度、石川球太によって漫画化もされているが、他に漫画では丸尾末広による『腐ッタ夜・エディプスの黒い鳥』にやはり四肢欠損、隻眼の男性が登場する。こちらにはもはや戦争や軍国主義という理由づけはない。最後に、彼は世話をしてもらっていた娘によって男性器を噛み切られる。これは乱歩などよりよほど特化したエログロであり、「人間の尊厳」といった種類の含みもない。ただ残酷なだけである。それはまたそれで潔い（註：後に丸尾は乱歩の『芋虫』を忠実に漫画化した）。

なお、江戸川乱歩がその名を倣ったエドガー・アラン・ポオ、いわば乱歩の理想であった作家にも『使い切った男』という、全面的身体欠損を描く短編があるが、これはその語り口の軽妙さといい、そもそもの、身体を「使い切った男」ジョン・A・B・C・スミス将軍が義手・義足・義眼・鬘・人工の胸板・音声発生用の口蓋などを次々と装着してゆく様子がクライマックスとなっているところといい、全くと言ってよいほど残酷さも悲惨さも感じられない。ただ奇想天外な冗談を聞いたという感想だけが残る。どちらかと言うと密室的な探偵小説より開放的なSFの感触である。

乱歩より先行するアメリカの作家の方がよほど未来的な身体物語を描いているのだ。

スミス将軍は確かにその勇ましい戦歴によって全身ことごとく損なわれており、語り手は最初、彼を床に置いてある妙な包みと思い、足で蹴ってどかせたほどだ。だが彼は、語り手の前で次々と人工物を身につけることによって、立派に立ち上がり、深みのある声を発し、見事な見かけの身体を現わすのである。このときまで語り手はかつて目にしたとおりスミス将軍が素晴らしい肉体を持つ偉丈夫であると信じていたのだった。身体を補う器具があるためスミス将軍にとって身体欠損は『芋虫』の場合のような絶望をもたらさない。それはほとんど『攻殻機動隊』へと続くサイボーグの先駆けである。

ここにもはや猟奇はない。なぜなら、身体に関する猟奇は身体のもたらす過酷な限定と変更不能性がその発生の理由だからである。猟奇は取り替えとやり直しのきかないわれわれの身体にまつわる不如意の意識化としてある。身体が自由に変更でき、損なわれた身体を完璧に補う技術が確立し、身体の限定感・変更不能感が回避される想像の場では猟奇という衝動は存在理由がなくなる。このとき須永中尉はサイボーグとして立派に社会復帰するだろう。

ミステリは猟奇を呼び込みやすいがSFは猟奇とは別の世界を描く場合が多いのはこうしたことからだ。

SFもサイバー・パンク以後は相当混沌とした世界を描くことを常とするようにはなったが、もともとSF的身体の発想は、サイボーグに代表されるように、人の意識の継続を肉体的限界に優先させるため身体を改造する、もしくは損なわれた身体を正常に機能させるため精巧な機械で代用させる、というものだから、その向かうところは身体による限定と変更不能が人に自殺を強いるようなものではない。身体の機能を失った主人公が人工の、しかもより能力の高いそれを得て、超人として復帰するという解放的で明るいヴィジョン、科学の無限の可能性への信頼がＳＦの世界の基本原則だ。ＵＳＡのＴＶドラマ『バイオニック・ジェミー』などがその典型だろう。

だが、現在ＳＦとして確立したジャンルも、その前段階を見て行くと、決して自由でも解放的でもない、肉体という牢獄の無残を描くものに多く出会う。それは当時の科学技術の発達状況から演繹される想像の質と密接に関係があり、まだまだサイボーグという究極の身体操作の自由が発想される以前のＳＦには、科学の限界とその罪深さへの思索が色濃く反映している。

ベリャーエフの『ドウエル教授の首』は完全サイボーグやバイオ科学を前提とする時代の一歩手前で書かれたほぼ怪奇小説に近い人体改造ＳＦだ。特殊な技術によって首だけで生きているドウエル教授の姿は延命医療の延長として想像されるものだろう。だがそれを望ましいものと認めることは難しい。

さらに遡れば、『フランケンシュタイン』に辿り着く。これもＳＦの起源にあたる作品と言える。だが、そこで錬金術の直系として眺められる科学は人間を幸せにするものではなく、より恐ろしい地獄を作りだす悪魔の技として提示されていた。

これらの悪夢は、現在であればＨ・Ｒ・ギーガーの描く「バイオメカノイド」やデヴィッド・リンチ監督の映画『イレイザーヘッド』などの映像作品に脈々と受け継がれている。

そして、戦前の日本探偵小説勃興期にも、「空想科学小説作家」と呼ばれ、後に日本SFの先駆と目されることとなる海野十三（うんのじゅうざ）がおり、彼もまた強烈な人体改造の悪夢を描いていた。

海野は科学技術の機械的・軍事的利用に関しては相当明るい見通しを持って描くことが多いのだが、これが人体改造に関するものとなると、よくもここまでと言えるほど陰惨で猟奇的な物語をいくつも残している。おそらく彼が、機械技術の不明点のなさには安心を感じる反面、身体という合理的に扱い難いものの加工については何かの不安と怯えを感じていたことの反映だろう。

人体改造系の科学小説で海野は、いかに科学を駆使しても、身体による限定という絶望を解決しようとはしなかった。そこにあるのは、後のSFに見られるミュータントへの希望、あるいはサイボーグ、レプリカントのような、意識が物質に優先する解放感ではなく、二目と見られない異形に改造されて変更のきかない者たちの「人外（にんがい）」の思いでしかない。このとき科学は無限の可能性ではなく、この世界に肉体という地獄を垣間見させる悪質な手段としてのみ機能する。

まだこの当時、遺伝子操作をはじめとするバイオ科学は成立しておらず、人体変異についてはせいぜいメンデル以来の遺伝的形質のかけあわせといったレヴェルの技術くらいしか一般的でなかっただろうし、また一方、ガルの骨相学やロンブローゾによる天才と犯罪者の先天的特性などといった理論が本気で信じられていた。そうした場では現在から見るとどても考えられない「疑似科学」によって異様な肉体が出現する。

海野の人体改造ものの代表作である長編『蠅男』では、人体の無駄をなくせばそれを操作管理するための脳の負担が減り飛躍的に知能が上昇する、という噴飯ものとしか言えないような理論にもとづき、実験台となった男が四肢すべてを切除され、一対ある内臓はどれも一個に減らされ、腸は三分の一に短縮される。頭はそのまとされたので、大人の頭に一抱えほどの肉袋がついただけのような身体になる。小説内の論理により、彼は身体は動かせないが、天才的知能を発揮し、さまざまな機械と技法を発案して、科学者にそれを作らせる。あるとき彼は、手足の代わりとなって動く義手と義足を発明して作らせ、それを身につけて逃走する。そして自分をこんな身体にしてしまった者たちに復讐を開始する。

四本で一組の義手義足はそれによって歩くことものを持つことも自由で、さらに伸縮自在、またこれを用いれば人の頭が通る程度の場所ならどこへでも忍び込めるという優れた機械で、この点はSFスピリットが発揮されている。だがそれは人類の未来のためではなく、ただ犯罪に用いられるだけである。小説内論理に従いこれだけ知能が高いのであれば、知能をそのままにして損なわれた身体をもとに戻す方法を考えたらどうか、と私などは思うのだが、そういう「解放」の方向に物語は進まず、飽くまでも彼は怨恨にとらわれた神出鬼没の猟奇的犯人として探偵に挑む。

復讐の理由は「こんな異形にされてしまったから」だ。それ自体はもっともなことで、題名の「蠅男」というのも、捕らえられ足も翅ももぎ取られた蠅のような男、という意味なのだった。彼は「人体無駄省き理論」の実践によって天才的知能を得たが、その代償として損なわれた人体は二度と取り戻すことができないというのがこの小説の原則なのである。だからこれはどこまでも科学を根拠にした猟奇探偵小説であって、そのテーマは『フランケンシュタイン』同様、「人外」の現出である。

マッドサイエンティストの非常識な理論により、人体を異形化してしまいそれが不可逆である、という悲劇は、『蠅男』と同じ理論を展開する『俘囚』もそうだ。『蠅男』よりさらに陰惨で、自分を裏切った女の顔に鼻と唇を余分に移植して鏡を見せるというところでは唖然ともし、よくここまで考えたと感心もした。

グロテスクだがおかしみのある人体ものもあって、そこには確かに「法螺話」としてのSF精神が生きている。『生きている腸（はらわた）』などがそれで、死んだ女性の腸だけを培養し、しかも培養液の外でも生きられるよう「訓練」する。その結果、腸は空気中でも生存可能に表面が進化し、育てた医学生の部屋に住むこととなる。しかもそれなりの意識も生じはじめ、主人である医学生をしたうようになり、もぞもぞと這い寄ってきては彼に巻きつくまでになる。だがあるとき、帰宅してきた彼の首にいきなり強く巻きついたあまり、彼を窒息死させてしまう。冗談としか言えないような話だ。

人体はある条件にあればきわめて美しいと見られるが、僅かな差で途方もなくグロテスクなものに変貌する。その危うさに敏感な人は、ともすれば人体の異様さを強調せずにいられない。ゴシックな意識の描く物語は本来希望をめざして発生した科学を敢えて闇の方向へ向け用いる。そのいくつかは身体猟奇譚となって結実する。

現在であれば、乱歩の『押絵と旅する男』を意識させながら海野十三めいた展開を見せる京極夏彦の『魍魎の匣』という絢爛たる成果をわれわれは持つ。この作は末尾近く、探偵役の登場人物が「猟奇」に通ずる勝手で差別的な思い込み深い視線を禁じよと強く命ずる。だがそれゆえに読み手のいかがわしい欲望はむしろ昂進するという巧妙な構造になっている。

身体の限定に特に注目したが、「猟奇」の本筋はむしろ「犯罪の残虐さ」の方だろう。これも「猟奇王」江戸川乱歩が極限まで行っていて、『盲獣』『闇に蠢く』『蟲』など枚挙にいとまがない。中でも『盲獣』は謎解きを放棄して、主人公「盲獣」の残虐殺人、世人を驚愕させる死体提示、といった場面だけで書かれた、私にはいつまでも「残虐への郷愁」を誘うエログロ世界だ。『闇に蠢く』は人肉嗜食、『蟲』は腐敗してゆく死体を保存しようとして力尽きる男の話。さらには『魔術師』の中で、大魔術と見せかけて衆人の面前で美女の四肢を切断するという場面、『蜘蛛男』の樽の中の塩漬にされた死体、『地獄風景』で自前の遊園地に来た客全員を惨殺してゆく場面など、乱歩はどこまでも猟奇のパイオニアだった。

だが残虐に関しては既に第5章でその見解を述べているのでここまでとし、後は死体そのもののやや特殊な用いられ方について語ってこの章を終えようと思う。

3 死体を介した連帯──S・キング

「死ぬのはいつも他人ばかり」というマルセル・デュシャンの言葉どおり、自分が死んだときもはやそれへの認識はないから「死」を知るのは他者の死によってだけである。死体は最も直接に差し出された「他者の死」だ。確かな重みを持つ物体であり確固として存在するが、生前の他者の意識と人格はそこにない。だが、それを前に、人はただの「もの」とだけ受け取ることは難しい。

多くの人は死体を怖れ、忌まわしいものと感じる。かつて人間であり、ある瞬間から物になってしまった、しかしまだ完全に物とは言い切れない境界的存在が死体である。しかも時間とともにその形態が崩れ悪臭を放ち、急速に汚物化してゆく。それでも人間の形姿の片鱗を留めている間はどうしてもただのごみとして扱うことができない。

人間と物の境界というのがどうも怖れを増す理由らしい。

猟奇を目的とした読み物には淫楽殺人者によって損壊された死体の話や腐乱死体の話が数多く並べられる。それらは死体の物質性が生者にとっての嫌悪となる極端な場合の記録と言える。

同時にその種の記述から立ち上がってくるのは論理的説明を拒絶する肉塊を前にしたときの動揺である。

そもそも死というのが意識にとって了解不能だ。それまであった自己という意識が突然消滅することは、自分に責任のない理由で処刑されるのと同じ不条理として映る。近代的な自己意識を持つ者ほど死は許し難い敗北と思われるのではないか。

そうした普段意識しない大きな隙間を隠すことなく見せつけ、意識の忘れていた世界の側面を示すのが死体である。

そのため、日常から死体の排除されることが普通となった今日では、日常的でない何かへの渇きを感じる者たちによって、死体が、ある超脱の手段として夢想される。

ただしそれは飽くまでも生者の側の想像の問題だ。死体を語ることは、無意味なものに対して無駄な説明を加える企てのような気さえ私にはする。

だが、死体を用いた物語、というものがいくつかあり、その感触について少しだけ語ることはできそうである。

スティーヴン・キングの小説『スタンド・バイ・ミー』は、彼の作の中では「ホラー」とはされていない、少年時代の回顧をもとにしたフィクションだが、しかし一点だけ、他の作家なら用いないのではないかと思われる要素があって、それが死体だった。

　四人の少年たちは、遠くの森の中にあると耳にした死体を見に行こうと短い旅に出る。発見された死体は四人の絆の証となる。物語はその途上のささやかな冒険と彼らの交流、いじめグループへの反抗などを語る「少年時代物語」なのだが、冒険に出かける動機がいわば怪奇趣味であり「怖いもの見たさ」であり、要するに「猟奇」なのだ。

　しかし考えてみるとたとえばアメリカ少年冒険小説の典型とされるマーク・トウェインの『トム・ソーヤーの冒険』にしても、その冒険の発端はトムが身を隠して盗み見した犯罪だった。この種の盗み見盗み聞きというのは、江戸川乱歩の『屋根裏の散歩者』の覗き趣味と実は変わらない好奇心の発現である。少年的冒険と成人的猟奇とは実は同じ起源にあった。それだからこそ猟奇の人江戸川乱歩は少年冒険の書『少年探偵団』をも書き、満天下の少年たちを魅了することができたのだ。

　キングはどうもそうしたところがわかっているようで、そのあたりの「わかっている」感じを私はゴシックのスピリットと呼ぶのである。

　さらに、岡崎京子の『リバーズ・エッジ』にも死体に関するよく似たエピソードがあった。ゲイの少年山田とレズビアンの少女吉川の二人、かたや学校では異端とされ常にしいたげられる、かたや売れっ子のモデルだが拒食症、そしていずれも内面への他者の侵入を容易くは許さない高慢なこの二人の共通の秘密が空き地で発見した白骨死体なのだった。山田と親しくなった主人公の少女ハルナは、彼から、その親愛の表明としてこの死体を見せられ、「死体を隠している仲間」に加わる。

さまざまな作家のモティーフを巧妙に利用することに長けた岡崎はここでもキングの『スタンド・バイ・ミー』をアレンジしているのかも知れないが、荒みきった環境で、恋愛関係でない秘密結社めいた同盟の証に、隠された死体を用いるというのが私にはとても心に届く感がある。ハルナはともかく、死体を宝物とし、一般通念に敵意を示す山田と吉川は明らかにゴシックな二人なのである。

8

異形

ここでゴシック者の視線と意識の典型的な例を見ていただきたい。

日本の漫画で元祖ゴシックと言えばこの人しかないと言えるだろう、楳図かずおの『のろいの館』(『赤んぼう少女』)と他いくつかについて考えてみたものである。

1 醜さと不幸――『のろいの館』

楳図かずお中期の傑作として名高い『のろいの館』。これは少女向け雑誌に連載したもので、掲載時の題名は『赤んぼ少女』。その後、『赤んぼう少女』と改題され、最近角川ホラー文庫に収録されたさいもこちらの題名が使用された。

物語は、みなしごと思われていた主人公の少女がとある富裕な家の娘であると判明し、ひきとられるところから始まり、その屋敷で怪しいことが起こる、という、『ユードルフォの謎』~『ジェイン・エア』~『レベッカ』型のゴシック・ロマンスである。

屋敷の屋根裏には姉にあたる少女が人目を忍んで暮らしていた。彼女の名はタマミ。身体が成長せず、十二~十八歳? になっても赤ん坊のようだが、腕の力は異常に強く、爪は獣のよう、歯は一本一本牙のようである。そしてその顔が異様に醜い。よく考えればいかに不気味であったにせよ、赤ん坊程度の小さい相手ではさほど恐るるに足りないようだが、ともかく悪知恵が発達しているのと腕の力だけは強いのとで、大人でも太刀打ちできない怪物である。

　ただ、性悪であるかないか以前に、どうしてこの哀れな少女を屋根裏に飼い殺すような扱いにしておくのか、という人倫上の疑問が出て当然の気もするが、そうした理不尽は楳図の世界では前提のようなもので、とにかく醜い者は見捨てられる。ここでは、父親が施設へ行かせたのを、タマミを溺愛する母親がひそかにひきとり、父に隠して養っていた、というシチュエーションとして説明されている。

　タマミは実はこの家の娘でないことが後半になってわかり、主人公にとって代わって屋敷に住むためその殺害をもくろむ。

　しかし、それ以前に、タマミには主人公の美少女を許せない理由があった。タマミは言う。

「おまえがくるまではみじめだったけどせめてもしあわせだった／それがおまえがきてからというものおまえの健康な姿を見せつけられてどんなつらい思いをしたか」

　タマミによる主人公への迫害は、自己の肉体への否定から始まった憎悪を美しい他者へ向けるという形で発動していることがわかる。楳図かずおの作品に出てくる「邪悪な存在」はおおむねこういう行動をとる。その憎しみの根拠が自分自身の肉体にあることが多い。私が楳図かずおに強烈に共感するのは、この言いようもない肉体への拒否感を偽ることも理念化することもなく生々しく伝えているからに他ならない。

この心の病み方は必ずしも他者から見て醜いとか嫌われるとかいう事実に裏付けられなくても存在しうるが、しかしそこに肉体の美醜という目に見える形の要素が加わってこないような抽象的な表現では、読み手を動かすことはできないだろう。それゆえ、楳図かずおの作品では、肉体的に醜いということがおよそ考えうる最悪の状況として描かれ、不幸の原因はすべて先天的・後天的な身体変異・容貌にある、という短絡的過ぎる形式を敢えて取ることで、野蛮な力（つまりゴシックだ）を生み出す。

それはたとえば、どれほど飾ってみてももとがひどければ気持ち悪いだけ、という事実、およそ世の建前（「わたし思いますのよ、美人って、実は内面で決まるって」と教えを垂れる容貌自慢の女たちの言説の眠くなるような嘘）を強烈に嘲笑する場面がしばしば挿入されることで一層絶望感を強めている。『のろいの館』で最も印象的なのは、タマミが着飾り鏡の前で懸命に白粉を塗り、しかし、ちっとも可愛らしくも美しくもならないことに絶望して泣くシーンだ。

だが、ここで楳図はそのまま終えず、その後すぐタマミに過剰な笑いの発作を起こさせて着ている服をびりびりと破かせる。この行動性により、タマミは哀れな者、というだけの意味を脱し、クレイジーで攻撃的な存在としてのあらたな役割を獲得する。

このポジティヴな行動性を、角川文庫版の巻末対談で大槻ケンヂが高く評価しているが、私としてはこうした要素を重く見すぎてはならないと思う。それはいわば作者にと

楳図かずお『のろいの館』秋田書店、1984 年

ってのアリバイのようなものである。「邪悪」と意味づけられるべき醜い少女が、描写の深刻さのあまり、読み手に同情されてしまってはならないからだ。ふと冷静になれば、タマミは悪者である以前に、あまりにも過酷な状況にいる弱者であることに読み手は気づく筈だ。それを強く意識させてしまっては恐怖漫画の本来の意図からはずれてしまう。そこですぐさまタマミに野放図な行動性を持たせ、読者の目をその常軌を逸した性格の方に向けさせる。やはりタマミは同情など拒絶する強烈な存在だとアピールしてその奥にある運命的悲惨は隠蔽する。読者は作品世界の僅かな破れ目から何か不整合な感じを無意識に受け取るかも知れない。そしてそれこそが楳図の漫画を忘れられない理由となるだろう。しかし、冷静となるより先に読者は、次の衝撃によって楳図かずお特有の熱病的な偏執に参加させられてゆく。

それでも楳図は、自己の足許を掘り返す危険を冒してまでタマミが化粧する様を描く。しかも一度にとどまらず、後半で、恋した男性に少しでもよくみられようとするため、という一層の切実さをもって化粧は反復されるが、より無慈悲に拒絶され、タマミは泣く。

この作品にとって何より大事なのはやはり、化粧しても醜さは解消されない、つまり、いかなる心がけや人為によっても肉体的美醜は変更できないという、精神が肉体に敗北する瞬間の絶望の描写である。後に言うように実は楳図は、必ずしも醜さだけをその不幸の根拠にするわけではないのだが、事実上、彼の非常に多くの作品が肉体の醜さを理由に痛切な絶望感を表出している。この絶望感こそが楳図の、生におけるリアルなのであり、これこそが彼に何かを表現させないではいない動機なのだ。

言うまでもないことだがこの世界はそれほど単純ではない。ある程度以上の容貌を認められ自らも意識している女たちが容貌優れない女たちに対して語る「美人は心次第」などという言葉の欺瞞は論外としても、しかし確かに肉体の条件だけが美醜を決めているわけでもないし、なるほど気持ちや心、態度、あるいは化粧等によって決まる部分もある（むろんそれらは決定的な肉体の変形の後にはほとんど通用しないけれども）。またもっとよく考えれば、美醜そのものが相対的な価値でもあるし、さらには、たとえ誰が見ても肉体的に醜いとしても、だからといって楳図の描く世界でのような途方もない不幸にばかり見舞われるわけでもない。

そんなことは作者自身知っているだろう、しかし、敢えてここまで非現実的に、美醜のみによる幸不幸を描かずにいられないのは、やはり、人が肉体という限定性・物質性によってしかその存在を許されないこの世界はなんと残酷なのだ、という感触に忠実な態度による。また作者の、そうした世界へのいわばレジスタンスによる。

壊れ易くうつろい易く、一旦破壊の後は修復の難しい、もともとの形・機能の欠陥の修整も難しい、しかもその形状から当人の意味の多くが他者によって決定されてしまう肉体。絶えず損傷の可能性があり、機能喪失は確実に精神にも影響を与える、肉体という名の牢獄。いかに優れた思想・表現の持ち主もこれなしに存在はできない。そこだけを一直線に考えてゆけば、われわれはなんと恐ろしい状況下にいるのだろう、楳図はその恐ろしさを決して忘れない。

ちなみに、楳図のように残酷ではない形で、肉体への精神の不一致感を描いた作品に大島弓子の『つるばらつるばら』がある。これは性同一性障害を転生という魔術的思考により解消し、かろうじて幸福に収めた物語として説明することができる。

2 醜さと悪――『みにくい悪魔』

楳図かずおの場合も、肉体への精神の不一致感は頻繁に描かれる。そこで必然的に出てくるのは『洗礼』等に見られる脳移植というテーマだ。これは精神のための最小限度の器具としての脳を、肉体の他の部分と完全差異化させることで、肉体への精神の勝利をめざそうとする志向のように見える。もっと簡単に言えば、「肉体」を交換可能なものとすることで、肉体の醜さや衰えによる「精神」の敗北つまり「不幸」を解消しようというのがその発想の始まりである。

ところが、楳図の作品では、移植された脳の所属したかつての肉体の形態へ、新たな肉体が逆戻りするという、およそありえない結末によって、脳移植された人物の受難が反復される結果となることがある。たとえば連作『猫目小僧』における『みにくい悪魔』の巻がそれだ。

並外れた醜さと性格行動の粗暴さ残虐さによって「みにくい悪魔」と呼ばれた青年が、脳移植手術を経て美しい青年の肉体を得る。ところが美しかった筈の青年の容貌が時とともにかつての「みにくい悪魔」のそれに戻ってしまう、という話。

科学を無視したその不条理以上に、ラストはあまりにも不自然である。確かに「みにくい悪魔」は許し難い行動を取る性格の持ち主であるにしても、ただ容貌が異様になっただけで彼の性格も行動も知らない街中の人間から「化け物だ」と言われて石を投げられ追い回されるというシーンはどうしたことか。勧善懲悪という意味で物語的にはある種の納得がないわけではないが、しかし少なくとも現代においてこんな形の受難は起こりうる筈がない。

全く荒唐無稽の見本市のような話だが、しかし、それにもかかわらずこの話がわれわれにどうしようもない密度をもって迫ってくるのは、醜さを描くさいの作者の絵の異様な重力とともに、そのいかにも誤った認識においてすら作者は本気だからだ。少なくともそこにある悲惨は嘘でもごまかしでもない上、作者は、醜いことと悪であることに敢えて区別を設けていない。肉体と精神の二元論を語るかに装いながら、実は一元論を語っているのである。

それは「みにくい悪魔」の容貌自体が、猫の爪を全部抜いたり、犬の生皮を剝がしたり、同級生の目を潰したり、という、彼の性悪な行動と切り離されない、タールのようにしつこく濃い破壊の欲動の現われとして示されていることからわかる。

つながれ、全身の皮を剝がされ、蠅にたかられて吠える犬の姿を想像していただきたい。その無残さと主人公の醜さとは作品上ではほとんど同じ意味のものなのだ。心の醜さは非道な行為によって示されると同時に顔形の歪みとしても描かれていると見るべきである。

楳図かずおにとって、醜いことはそのまま残虐であること、すなわち世界の悪意を背負っていることを示している。少数の例外を除けば、ほとんどの場合、容貌の醜い者は心も醜いという展開を示す。それどころか『猫面』（『黒いねこ面』とは別作品）のように心正しい者が著しく容貌を損なわれた結果、心まで醜い者となるという話まである。それゆえ、心の醜い「みにくい悪魔」はかつての容貌と等価な邪心を持つ限り、何度脳移植をしても、やはり醜い容貌となる、という結末を迎えるのだが、それは、肉体の醜さを行動の邪悪さと同一視してとらえた結果なのである。要するに、醜い者は悪いことをする者である、という作品世界内の原則（原則である限り例外とヴァリエーションはありうるが）による。

『ふりそで小町捕物控』という連作の中に、ある少女がひとりの歌舞伎役者に恋する話がある。その役者は舞台では美男に見えるけれども、ドーランをおとすとそれに含まれる鉛のためにできた汚いしみが顔中にあり、ひどく醜い。そして、その役者はあることから少女を陥れようとして失敗するのだが、少女が彼は悪人だ、と気づくシーンは彼がその素顔を見られてしまうシーンでもあって、つまり、こんなに醜い男だったから悪人なのだ、と読めるような、少なくとも容貌の醜さが少女を怯えさせているといった描き方がされている。また、少女を薬で失明させようとする彼の犯行の動機は、実のところ少女を愛するがゆえで、自分の醜さを知られては愛されないという彼の確信によっての行為なのだった。

他にも、作品集『恐怖』に含まれる短編『魔性の目』は、人々の心の醜さを容貌のそれとして見ることのできる少女の話（このモティーフはイギリスのベレスフォードという作家の『人間嫌い』――創元推理文庫「怪奇小説傑作集・第二巻」所収――という小説のそれに近い）だが、彼女がそれに最も強く反応することで、愛する男性の危機を救うこととなる、害意に満ちた同級生えり子の醜い顔は、実はえり子が整形する以前の容貌だった、という、どこかで本来のルールを踏み外した展開となっている。もともとこの話は、普通かあるいはそれ以上の容貌の人が悪心を抱くとき極端に醜い容貌となって少女に見える、という前提によっている筈なのに、現在美しいえり子が悪をなすのは彼女が整形する前は醜かったからだ、という、悪心そのものとは別の、以前の外見という理由から説明されている。

楳図の作品において、整形という行為はほとんどの場合、そこにあった本来的な悪や暗さを解消しえないものとして扱われるのだが、例外としては『偶然を呼ぶ手紙』がある。この一見ハッピーエンドの話では、珍しく、心正しくかつ醜い少女山田すず子が登場するが、彼女が不幸のどん底から救われてようやく立ち直ったとき、彼女の容貌は整形外科医の力を借りて全く別人のように美しくなっていた（そのさい、整形外科医は「整形したというよりすず子さんのやさしい心が形にあらわれたといったほうがいいかもしれません」という言い方をしている）。しかしそれは、逆に言えばこのくらい美しくなければ幸福となる資格がない、という意味ではなかろうか。

明らかに間違ってはいるのだが、ここにある理由は、容貌や、あるいは「他者からの扱い」に敏感な者に対して異様な物語的力をふるう。つまり、悪とは見かけの醜さから始まる、という単純化が、より多く訴えるものを持つとしたら、それは私たちの心の歪みの反映である。

むろん現実の投影ではない。楳図かずおにとっては、こうした無茶な設定を用意しなければ世界の無残をよりリアルに描きえないからだ。そしてこのようにして描かれる無残、悲惨は、合理的でない分、よけいに強く訴えるものを持っている。その表現は、前近代、説経節などによって語られた暗く寒い悲惨と通底しているように私には思われる。

3　姉妹の物語――『おそれ』

不条理と偏向に満ちた不自由を描き出すための方法として、もうひとつ棋図に特徴的なのは、姉妹の対比のテーマである。それは必ずしも実際の姉妹でなくともよいのだが、ともかく、その容貌や待遇に極端な差のある二人の少女、というシチュエーションから話は始まる。

最もよい例は連作『おろち』の最初と最後の話だろう。最初の『姉妹』では、ともに美しい姉妹なのに、片方だけがその家の者の血を引くため十八歳を越えると極度に醜くなってしまう、という話。姉妹とされていながら実は一方が養女であったため、遺伝的な理由による変容はなく、十八歳を越えても美しいままなのだ。ここでストーリーを明かすことはしないが、このような天国と地獄が並立している場において、その天国に立つか地獄に立つかは読み手に絶対的な差異と映らざるをえまい。

醜いか美しいか、というのは本来相対的な基準であって、また私たちはそこばかりに集中して日常を送っているわけではない。そのため、美醜だけに注目させるにはここまで非現実的な仕掛けが必要なのだ。

美醜こそが絶対的に世界を分割する、という原則に忠実に物語を語るため、こうした異常な設定が繰り返し作られる。それはいかにも荒唐無稽なのに楳図にかかると驚くほどリアルで、少なくともこれを読んでいる間、読者は、美醜こそ絶対の基準であるという偽の、しかし作者が巧妙に唆す「真実」を受け入れてしまう。そうなれば、世界はどれほど意地悪く無慈悲に振舞うかを知ることだろう。醜い者に一切の救いはない。ならば醜い者にできる唯一の意味ある行為は、せめて美しい者の美を損なうことだけである。しかも世界は二人の姉妹だけで閉ざされている。美しい相手が自分ほど醜くなれば、少なくとも「みじめだがせめてもしあわせ」になれる。このような発想で話は展開する。

楳図はこうしていやおうなしに世界の荒廃を体験させる。この荒廃感こそ楳図が恐怖という手段によって伝えるものであって、逆ではない。恐怖漫画と呼ばれる楳図の漫画は正確には恐怖を使って世界の無慈悲を訴える漫画と言うべきである。

しかもそこに現われる荒野は、われわれも、いつもではないにしても、薄々は感じている光景なのだ。

『おろち』最終話の『血』は、敢えて美醜という分かり易いものではなく、二人の少女の扱われ方の極端な不公平、という差を設けたことで、他に比べやや洗練されている、と言うべきかも知れない。しかし、ここにある「扱われ方」も、閉じられ逃げようのない関係内という条件のもとで機能する場合には、他者からの反応が絶対となる点でやはりこれまで述べたような「美醜」と等価な要素でしかない。

美醜という場合は相手の反応以前のインプット情報であるが、「扱われ方」はアウトプットとしての反応そのものであるという違いはある。しかし、楳図かずおの描く世界において醜い者が優遇されることはまずないのであって、ならば「扱われ方」の差別は美醜の差と同じ不条理として現われるだろう。そこには必ず合理的に説明できない理不尽な差別が最初の条件としてあるからだ。

ここまで考えてくると、それ自体目的化しているように見える美醜の絶対視というのも、実は「扱われ方」の差別を一目で納得させるための手段のひとつだったと気づくはずだ。ならば楳図があれほど美醜を絶対化して描くのは、「扱われ方」の納得のための描写の省略なのだとも言える。そして、この「扱われ方」とは、これまで述べた、容貌の美醜が他者の反応を通じて本人に及ぼす効果のことであり、問答無用の不条理としての重みを持つ。その不条理とは、他者が決して自分の望むようには自分を見てくれないという、我々の日常の大原則を過剰に拡大したものである。

これらをもう一度よく考えてみると、そこには明らかな倒錯があることがわかる。あれほど執拗に不幸の根拠であるかのように語られていた「醜さ」が楳図においては実は真の原因でないということ。容貌の醜さは不幸の原因ではなく、むしろ既にある変更不能の「不幸な運命」を物語る過程としての形態だということだ。楳図は、もともと誰からも愛されない、という決定的な不幸を誰もが納得する絵として表わすために、その者たちに異様に歪んだ容貌を与えている。

醜いから嫌われる、のではなく、嫌われるから醜いのだ。

それゆえ、実は、容貌だけを変化させたとしても、もともとの運命的不幸、最初から世界に拒絶されているということ自体が変更されないかぎり、悲惨な青年、悲惨な少女たちはその悲惨を逃れることができない。よって、「みにくい悪魔」はその身に負う運命的な排除のために、素姓も何も知らない人々から永遠に追い回され石を投げつけられる。

『血』では、美醜云々よりも、ただ嫌われ憎まれること自体が先にある、という、この倒錯の構造が一層あからさまである。

姉はいつも優秀と言われ素敵と言われ優遇され、妹はそれに対比されていつも劣った者と扱われてきた。その場合、妹の「実質」は問われない。他者の決定によって既にできあがった非対称的な関係だけが二人を規定している。

しかも、先に述べたようにこの二人に関しては関係そのものが閉じているので、そこに段階や序列はなく、全てか無かのいずれかしかない。広い視野からみれば「ある点で少しだけ劣った者」(というよりも、行儀や成績より他のところに取り得がある少女というべきなのである)でしかないのにもかかわらず、閉じた世界内ではそのまま「最低」という意味となる。このような育てられ方をした二人の十数年後のある運命がここで描かれる。常に蔑まれてきた妹が常に尊敬されてきた姉に対して行なった復讐は、その最期の瞬間に姉が命欲しさからの決定的な卑しさ見苦しさを示すようしむけることだった。

この出来事を見届けた少女おろちは言う。

「いったいだれが悪かったのだろう？」

それは世界そのものが、生きることそれ自体が悪かったのだ。私たちは、他者に映された自己像によってしか、そこに表われる他者との比較によってしか自己を意識できない。その他者からの像が限定・固定されたものであり、しかもある限度を越えて否定的であった場合、それでも他者なしに存在しえない私たちの意識には、救いなどないのだ。『血』もそうだったが、より顕著な例は、『おそれ』という作品である。これは『血』と『姉妹』の結合形とでもいうべきもので、両者の性質を併せ持っており（発表時期も近い）、それ自体の完成度は高い。この作品の中で、私が忘れられないのは、何にあいても褒められ愛される姉と、必ず軽蔑されあるいは無視される妹との関係を露骨に示そうとするあまりの、到底ありそうもない描写である。

可愛い、と言いながら姉に寄ってきた女子学生たちが、姉の連れていた妹を、どん、と蹴り倒すのである。

可愛らしい幼女とさほどでない幼女が手をつないで歩いているとして、いかに姉の方が可愛らしかろうが、これはないだろう。

だが、それでもなんとなく納得させられてしまうのは、これは差別され続ける妹が世界に対して感じた、そのままの描写だということだ。つまり、自分では支えきれない怨念を抱かされた人間に見えている世界の描写がこの、妹を蹴り倒して姉に群がる女子学生たちの姿なのである。そして、誇張の度合いの差こそあれ、ある時期まで、楳図の作品に限らず、少女漫画のいくつかにはこうした対比の絶対化を伴う非現実的なまでの怨念が隠されていたと思う。近いところでは山岸凉子の諸短編が典型的だ。

あなたがた、見てください、世界はここまで残酷です、蹴り倒される妹はただそれだけを訴えたかったに違いない。

さて、蹴り倒される妹に代表される見捨てられた少女、これらはすべてタマミのヴァリエーションである。あるときは、優遇される姉／妹を知略によって不幸のどん底に突き落とし、またあるときは失敗して無残な死を遂げる、決して他者から愛されなかった少女、たとえば肉体の醜さによって、またたとえば周囲の理不尽な贔屓によって、他者からの拒否に苛まれてきた少女タマミ。

楳図が偉大なのは、このようなタマミの存在を常に忘れることも偽ることもなく、また魔術的に救うこともなく、反復して描き続けたことである。少女漫画は基本的に、少女を救済する物語でなければならないが、楳図は主人公の救済の物語を装いながら、敵役の名のもとに執拗にタマミ的な愛されない少女を描き続けた。それは結末に用意された、主人公の救済のどんな幸福さよりも、奥にほの見える悲惨さ切実さによって読む者の心を突き刺すだろう。

『のろいの館』のヒロインもまた、悲惨な事件を体験した後、幸せを得る。しかし、ある種の感受性を持つ読者は、それで世界が至福に満たされるわけではないことをはっきりと読み取っている。むしろ、ヒロインが幸福となればなるだけ、タマミという闇は深まることをどこかで意識しているに違いない。そして、ただ醜かっただけ、あるいは愛されなかっただけでここまで無残な運命を辿らねばならなかったタマミこそが作品内で唯一実体を持つ存在であったことにも気づくかも知れない。

「おまえがくるまではみじめだったけどせめてもしあわせだった／それがおまえがきてからというものおまえの健康な姿を見せつけられてどんなつらい思いをしたか」

「おまえ」という相手のせいで不幸になったかのように語るこのタマミの言葉は、実は、存在そのものの解決しようのない怨恨、望まれないまま存在してしまったことの怨恨を語っている。

美しくなりさえすれば愛されるという希望など、本当はタマミが思い描いた幻でしかない。事実としてあるのはタマミ自身が何をやろうとも、そのことで他者の意識と価値観を変えることはできない、いかに工夫したとて愛されないと決まったものは愛されはしないという、愛という感情の過酷な特性、他者が常に示し続ける決定の無慈悲な不可逆性だ。もし救いがあるとすれば、これまた幻としてだが、肉体の交換くらいだろう。とはいえ、もともとの精神が愛されていなければ結果は同じなのだ。それでもタマミは敢えてその筋道を忘れ去り、いつの日か、このいまわしい肉体を捨て、愛される美しい少女となっての再来だけを望むことだろう。それまでは呪い、呪い、呪い続けるしかあるまい。

9

両性具有

1　両性具有を望む精神——マリリン・マンソン

マリリン・マンソンのアルバム『メカニカル・アニマルズ』のジャケットでマンソン自身がアンドロギュヌスに扮していたのは記憶に新しい。これによりゴシックと両性具有との緊密な関係がアピールされたことになる。しかもそれは「異形」のひとつとしても演出されていた。

ゴシックハートの夢見るアンドロギュヌスとはどんなものだろうか。

異性愛、という言い方自体、近代のしかもごく最近のものだが、それはともかく、異性愛の支配というのが常に絶対であったわけでないことは、ギリシア時代の記録や室町から江戸初期の日本の都市文化などを見れば納得されるだろう。それらは男性同性愛と言われる性愛、男色と言われる性欲の形式を含んで成立している。ならば異性愛と同性愛という図式があればすべての性愛の方向性を網羅できるかと言うとまだ不足である。洋の東西を問わず、その文化のどこかに両性具有的な表象が見られるのは珍しいことではない。いや、アンドロギュヌスは形を変え、意匠を変えて、物語、演劇、絵画等、最近ならば映画、漫画、ヴィデオに至る、性別が問題となるあらゆるメディアに現われる。

西洋では錬金術の技の過程を示す図像によく両性具有者の絵が描かれている。意味するところは明らかで、火と水に象徴されるような反対物の一致の状態を示すものである。いわゆる超越への志向の、性における表現にほかならない。

また古くはプラトーンの『饗宴』に出てくるエピソードも有名だろう。かつて人間には男性・女性・両性、という三種類があり、みな丸い体にそれぞれ四本の手と四本の足を持ち、また同じ顔を二つ、性器も二つ持っていた。ところが人間たちはその不遜さから神々に挑戦しようとしたため、ゼウスによって体を真っ二つにされ、以後、人はその半身を恋うようになった、という話である。当時のギリシアらしく、かつて球体の身体のとき両性具有だった者は分割された後に男性・女性の結合を、男性だった者は男性同士、女性だった者は女性同士の結合を求めるのだ、として異性愛とともに同性愛もまた当然の帰結と語り、こういう話になると現在なら必ず加えられる「だから男は女を、女は男を求めるのが当然だ」という異性愛絶対主義の結論を予め否定している。

そのあたりの問題はそれとして、何より注目したいのは『饗宴』で提示された両性具有が「本来の形」「起源」とされているところだ。

アンドロギュヌスを望む意識には、「本来ならそうあるべきである」という発想のもたらす理想への希求と、あるがままの現実への批判・不満とが必ず含まれている（ただし丸い体に四本ずつの手と足というような形態を私は理想と思わないが)。つまり、それは「自分はいずれか一方だけ」という現状の性の形に満足しない意識による表現なのである。

錬金術的図像に見られるアンドロギュヌスもまた、片方だけでは不完全な物質がその反対の性質を持つ物質と結合することで「完全」になるという意味を持っていた。

アンドロギュヌスは、全体性の体現として憧憬されてきたものである。面白いことに、それはあまりに理想的イデア的でありすぎるゆえにか、現実の上で稀に見られる両性具有、いわゆる半陰陽は多くの場合、(不当なことだが)逆にひどく忌み嫌われたという過去の記録が知られている。

このこと自体が、アンドロギュヌスという憧憬の反日常性を示している。それは例えば、恋に恋しすぎる少女が、現実の恋愛の妥協の多さを見てそれを軽蔑するのと似てはいないだろうか。アンドロギュヌスは、想像裡になければならない憧憬であったということだ。

アンドロギュヌスとは、本来あるべき調和を望むとき人が陥る夢なのだ。ただしその「本来」がもともと虚構の「本来」であることは常に忘却される。そして神にも等しい完全無欠の幻だけが立つ。そのため、ひとたび夢の調和の場からものを見ることを知ると、人は驚くほど不遜になる。

アンドロギュヌスへの願望は言い換えれば、失われた高貴への憧憬である。人はそこに「完全な人間」の幻を見るのだ。そして「現実」の貧しさを厭うのである。

ところで、ここで考えているアンドロギュヌスが、一般に考えられがちな男女の「融合」の観念とは区別される象徴であることを強調しておこう。

男には男性性が女には女性性があり、それは先験的なもので基本的には変更不可能ゆえ、異性との「融合」によってこそ両性具有の球体が完成する、……ユング心理学が多く伝え、また錬金術的意味からもそうした読み方を許す対幻想を、ここではアンドロギュヌス志向と認めない。

性役割の一層の固定を促すそのユング的イメージは、単に、男女を相補的なものとする見方のひとつでしかないにもかかわらず、それがアンドロギュヌスの比喩でもって語られるうち、いつのまにかアンドロギュヌスへの願望自体とすり替えられてしまっている。責任の約半分はユングよりむしろプラトーンに遡るだろう。ただ、前述のとおり彼は異性愛のみを必然的としたわけではない。また確かにユングにはこうした保守的な思考を促しかねない要素が多大にあるとしても、その後のユング派の分析家がすべてそうなのではないということも一言告げておかねばなるまい。例えばJ・シンガーの『男女両性具有』では、両性具有を単一者のそれとして扱っている。

男女の融合への憧憬とは、結果的にアンドロギュヌスを分割してしまったものでしかなく、ヘテロカップル志向、と呼べばよいのだ。これを安易にアンドロギュヌス志向と名づけるのは慎みたい。

アンドロギュヌスという象徴の与えるイメージは、もともと、ひとりの存在が男女両性を手にしている、もしくは単独でもって完成している、それゆえの輝かしさ、その至高の想像をさすはずである。

アンドロギュヌスとは一にして二（すなわちそれは魔術的には全ということだ）たらんとする欲望の象徴であって、決して二にして一たらんとする欲望の象徴ではない。なるほどこれは恣意的な定義であるかも知れない。しかし、そうして悪いわけがあるだろうか？　ここでは、先験的な男性性・女性性などといった教義ではなく、アンドロギュヌスという調和の幻想に眩惑された者の精神の様相をこそ考えてみたいのだ。よって以下「単一者としてのアンドロギュヌス」のみアンドロギュヌスと呼ぶこととしよう。

性に関して、自らにその一方しか意識したくないと欲する者と、男女両性を意識したいと欲する者、という願望の問題としてアンドロギュヌス志向を考えてみれば、非アンドロギュヌス願望者の欲望が常に「よりよい異性の獲得」という形態をとるのに対し、アンドロギュヌス願望者の欲望は必ず「あるべき自己への変身」の要素を隠し持っている。

非アンドロギュヌス願望者がよりよいものをめざす相対的世界に住んでいるのに対し、アンドロギュヌス願望者の方はあるべきものをめざす絶対的世界に住んでいることがわかる。「よりよい」とは比較の問題だが、「あるべき」とは既に決定済みなのであって当初から比較を絶している。

これらのことがアンドロギュヌス願望者たちの思考の様式、現実には不可能な完全を夢見、高みをめざそうとする性癖、そして高慢さ、等を育てる。

両性具有の夢というのは、生きることへの意欲よりも虚構への憧憬を尊んだヨーロッパ十九世紀末的思考の中で一層発達したように思われる。そこでは憧憬することが選良の証なのである。アンドロギュヌスの幻想は、こうした本来不要な自尊心によって継承される。それは今や不合理の形象化でしかない。そのため、アンドロギュヌスは現代のわれわれの前に、芸術や宗教と同じ相貌でたち現われてくる。

実際には教えられるまでもなく、多くの人々はアンドロギュヌスというイメージが荒唐無稽な、実現不能なもの、ロマンティックな夢想でしかないことを知っている。だがよほど知的な人でも、悪疾のように精神のすみずみに食い込んだ調和の幻影を否定し去るのは困難に違いない。

アンドロギュヌス願望は、こうして「特権意識」（いやまあここで時代遅れな言い方といった批判は一旦控えておいてもらおう）の温床となる。そしてこれが蒙昧、野蛮な反近代的意識であることは言うまでもない。「貴族主義」とか「選民思想」といったものほど不合理を容認する、近代的な知の勝利から遠い思考はない。だが、いかに愚劣とわかってもこの野蛮さにゴシックハートは反応する。

一方、自分にとって自分こそが主人である、意志の決定者である、というこの意識は、M・フーコーが『性の歴史』第二巻で詳細に告げたギリシア時代支配階級の少年・青年のための自己規範に近い。彼らは常に特権階級的でありたい人々なのだ、現実に置かれた状況はともかくとして。そのため、アンドロギュヌス願望者の多くは（それが単なる幼児的な驕り高ぶりの主でないかぎり）本来の意味において非常にモラリストである。モラルとは（他から強制される規範ではなく）もともと誇り高い自らが誇り高くあるための行動制御の倫理のことだった。

ところで、アンドロギュヌス願望者たちが必ずしも「恋愛」を嫌悪するわけではない。彼らにも愛する相手はありうる。ただ、その関係が固定的となり、求める者と与える者、愛する者と愛される者の役割が決まり、ひいては完全なしかも硬直した権力関係そのものに移行してしまうのを厭うだけなのだ。しかし、そのようにならない「恋愛」は皆無に近いため（というより彼ら・彼女らにとってそれは皆無と感じられるため）、彼ら・彼女らは「恋愛」一般に点が辛くなり、遂にはそれを軽蔑するに至る。こうして、より強いアンドロギュヌス願望は次第にロマンティック・ラヴ・イデオロギーを排除してゆく。

彼ら・彼女らを窒息させること、それは必ず「役割の固定」である。

2 天使／小悪魔のゲーム――浅田彰

モーツァルトのオペラ『フィガロの結婚』は、ボーマルシェの原作にもとづくロレンツォ・ダ・ポンテの台本によるもので、もとセビーリャの理髪師であり現在アルマヴィーヴァ伯爵に仕えるフィガロが、その婚約者スザンナを狙う好色な伯爵を退けて、無事彼女と結ばれるまでの喜劇である。そこにはまたアルマヴィーヴァ伯爵の小姓であるケルビーノという少年が登場し、彼はあらゆる女性から愛される愛らしさと誘惑者の面影を持つ存在としても描かれるのだが、この役はメゾソプラノあるいはソプラノの女性によって演じられることになっている。ケルビーノは第一幕の終わりに伯爵から士官となるよう命ぜられ、第二幕では軍服姿で現われる。しかしその後、伯爵を欺く企みに荷担するため、スザンナに変装することになる。こうして軍服を脱いだ少年が少女の衣装を着て現われる。

この場面、『フィガロの結婚』第二幕第三場に関する、浅田彰による次のようなコメントがある。

堅苦しい士官の姿から愛らしい少女の姿へ。この変身が軽い目眩さえ感じさせるのは、ケルビーノ役が若い女性ソプラノ歌手によって演じられているためだ。少女が少年になり、さらにまた少女になる。鏡と鏡がきりもなく反映を交し合うかのような変身の戯れ。これほどロココ的なゲームはほかに考えられないだろう。

このゲームは、両性具有の球体において成就されるべきバロックの劇と似ているようで、実は決定的に違っている。それは、光が向かい合った二つの鏡の間を行き来するように二つの性の間を揺れ動くばかりで、融合と統一に達して静止することがないのだ。少年になることと少女になること。この二つの生成変化のヴェクトルは、互いに巻きつきながら上へ上へと伸びていく蔓草のように、際限のない運動を繰り返す。性を領土化する大地の重力から逃れて、上へ、コスモスの方へと舞い上る。そのとき音楽は天使の歌になるだろう。男性でも女性でもなく、両性を融合したものでもなく、無性でもない天使、両性の〈間〉にあって軽やかに振動するものとしての天使の歌に。

(「少女になった少年になった少女の話」『ヘルメスの音楽』筑摩書房刊より)

浅田にとって「両性の融合」はありえない。彼は性の決裂にこそ惹かれる。

両性具有の観念を「バロック的」として隔てた上で、浅田は『フィガロの結婚』に登場する、「女という女を魅惑する」少年ケルビーノを「両性の〈間〉にあって軽やかに振動するものとしての天使」と規定した。

ところでケルビーノはこの後、士官として赴任してゆくことになるので、もはや以後女性との浮気な戯れもできまい、として彼を揶揄しつつ「もう飛ぶまいぞ、この蝶々」という有名なアリアがフィガロによって歌われる場面もある。だが、浅田は、ケルビーノ的な存在が成長とともに地に落ちることを当然とするその歌詞のような「常識」を否定する。

> こうして女という女を魅惑するケルビーノは、やがて成長してドン・ジョヴァンニになるべき存在だ。これはキルケゴール以来ほとんど紋切型となった見方だが、はたして本当にそうだろうか。ケルビーノはドン・ジョヴァンニ的に女から女へ飛び回るには違いないけれど、そのつどの理想と現実の乖離につき動かされてアイロニカルな〈愛の不可能性〉の劇を生きる実存的人間などといったものには、間違ってもなりそうにない。蝶は断固としてヒラヒラと飛び続けるのだ。そう、フィガロのアリア『もう飛ぶまいぞ、この蝶々』にさからって、「まだ飛ぶもんね、この

蝶々」と歌うことにしよう。そうやって飛びながら、ケルビーノは自ら少女になり、少年になり、また少女になる……。
言ってみれば、蝶々ケルビーノは、ドン・ジョヴァンニのようなデーモンにはならず、あくまでも愛らしい小悪魔（デモニエット）——天使のもうひとつの姿——であり続けるだろう。

（同前）

それが両性具有とは厳密に区別されることを浅田は指示しているが、しかし、少年であって少女となり、少女であってまた少年となる、といったような自在な変容への願望、それは、一にして二であるばかりか、二重三重に変奏されてゆくことへの期待でもあり、これもまた一であって無限たらんとすることへの願望であることには変わらない。再び言うが、アンドロギュヌスを生む魔術的思考においては、一に対する二とは、単なる一の倍ではなく、無限の謂でもあったのだ。
しかも、ドゥルーズとガタリの「ノマドロジー」を伝えた彼、浅田もまた常に固定化を嫌う。固定されることはその場所に隷属することである。浅田はその点でアンドロギュヌス願望者に勝るとも劣らぬ潔癖な自尊心の持ち主と言える。少なくとも、浅田の願望が、一が一であることにあきたりない、という「高慢さ」をもとにしていることは明らかである。ならば、彼の願望を惹き起こした「高慢さ」と同じものが、一方でアンドロギュヌスの幻影をもたらしうると言うことはできないだろうか。

浅田がここで画期的であるとすれば、それは、ユング的・錬金術的伝統に汚染されたアンドロギュヌス観念を一旦放棄し、新たに、予定調和という要素が排除されたイメージをきわめて悦楽的に提示していることだろう。そこには「本来的な」調和も「本質的な」融合も期待されていない。ロマン主義的暑苦しさのないアナーキーな多様性を秘めた天使、「両性の〈間〉にあって軽やかに振動するものとしての天使」、これをアンドロギュヌスとは呼ぶまい、ただ、それは、ともすればアンドロギュヌスという名の安易な想像を描かせがちであった「高慢さ」の、よりストイックな表現形態であるとは言えまいか。

3　カストラートという性――『ポルポリーノ』

小説に登場するアンドロギュヌスとはどんなものだろう。

最も代表的なアンドロギュヌス小説とされるものにバルザックの『セラフィタ』がある。男には美女セラフィタとして、女には美男セラフィトスとして相対するその人は、最後に天使であることがわかり、必要な階梯を経たとして昇天する。このように紹介すればなかなか興味深くも思われるが、この小説は実のところスウェーデンボリの神秘主義思想を伝えることを趣旨とする書であって、アンドロギュヌスはその手段に過ぎない。アンドロギュヌスを憧憬する、あるいはアンドロギュヌスとして思考することが中心となっているのではない。ただ、アンドロギュヌスと天使を同一視するこの視線は記憶に値する。

これに対し、アンドロギュヌス自身の一代記とも言えるヴァージニア・ウルフの『オーランドー』の主人公は不老長寿で、しかもその長い人生の前半を男性として、後半を女性として生きる。アンドロギュヌス小説というより性転換小説とも言えなくはないが、その非現実的な身体の若さ・寿命の長さや人並み外れた能力といったところからも「理想の人間」という意味合いが読み取られ、やはりこれがアンドロギュヌスを志向する物語なのだと知れる。

なお、両性具有を理想化しない態度で書かれたアーシュラ・K・ル・グウィンの『闇の左手』はその態度ゆえに物語性をなくすことなく、名高いSFとして読まれている。だがここではアンドロギュヌス的な意識とでも言うべきものをより詳細に描く小説について語りたい。

ドミニック・フェルナンデスの小説『ポルポリーノ』もまた音楽にまつわる物語で、一人のカストラート（去勢歌手）の語る自伝というべきものだ。

バロックオペラの盛んだった時期のイタリアで、優れたボーイソプラノを持つ少年を声変わりする前に去勢してしまい、成人男性には不可能な高い美声を終生保たせるとともに大人の声量と技巧とで演ずることのできる歌手とし、これをカストラートと呼んだことは映画『カストラート』の公開以来、広く知られるようになった（なおカストラートの起源は教会音楽の歌手であるとされる）。『ポルポリーノ』は次のような物語である。

十八世紀イタリア、語り手は貧しい出ながら近郷一の美声の持ち主であったため無残な去勢手術を経てカストラートとされた。彼は優れたソプラノ歌手となるべく、領主サンセヴェロ王子の庇護により音楽院で教育を受ける。そこで王子からポルポリーノという芸名をもらい、後の作曲家チマローザ（実在の人である）、そして美貌のカストラート、フェリチアーノと友人になる。サンセヴェロ王子ドン・ライモンドは性別による差別化を嫌い人間本来の両性具有性を夢見る人であった。

フェリチアーノは、内省的で憂鬱にとらわれていたポルポリーノに口づけして慰める。ただしそれは一度きりだった。この頃またポルポリーノは幼いモーツァルトとも会う。グルックやペルゴレージが活躍し、カザノヴァの名が噂にのぼり、ジャン・ジャック・ルソー、ヴォルテール、ディドロなどの思想がサロンで語られる、そういう時代である。

貴族らの前でカストラートの存在意義を否定する僧院長に利発な小モーツァルトは理路整然と反論した。

天性のスターであり、ナポリ王国の大劇場で成功してゆくフェリチアーノに対し、ポルポリーノは舞台での成功は得られなかった。しかしポルポリーノは世俗的な栄達を強く望むわけではない。一方、派手好きで自らの魅力を知っているフェリチアーノは男性にも女性にも愛される。とりわけマッダローニ公爵ドン・マヌエレからは、その宮殿に住むことを求められた。ポルポリーノもまた公爵のすすめで共にそこに住み、浮気なフェリチアーノがつれないそぶりをするたび公爵を慰める。

サロンではことあるごとにカストラートという存在への賛成派と反対派との論争が起きていた。そうした場でサンセヴェロ王子は、かつての専制的なスペインの支配がナポリ王国をはじめとするイタリアに、人間の厳密な分割と区別そして役割への貧しい閉じ込めをもたらしたのであり、人間本来の素晴らしさは非分割の在り方にあると説き、非分割の人間への憧れをかなえるカストラートの価値を称揚する。王子はまた産業の発達とともに人間がさらに断片的な役割にはめ込まれてゆく遠い未来を語り、そうした方向への抵抗として性差のほとんどない男女の登場を予言する。だが、さまざまの異端的な科学実験を続けていた王子は、あるとき死者の蘇生のためカストラートの肉体が必要だとしてフェリチアーノを殺してしまい、その後気が狂って監禁されることになる。

ポルポリーノは以後も世俗的成功には縁がなかったが、あるときから求められてドイツのハイデルベルク伯のもとで音楽士として仕えることになる。カストラートの時代は終りつつあったが、それに代わるさまざまなものが同じ役割を果たしつつあるようだった。ポルポリーノは結局自分がいかなる役割にも属さず有名にもならず「何にもならなかった」ということを今は幸福と感じるのだった。

十八世紀のカストラートを主人公として、彼が、不遇と感じ続けてきた自己の境遇を実は最も自由なのであったと意味づけなおすまでの物語と言えば、幾らかはこれについて語ったことになるだろうか。性の上での本当の不自由とは、異性が得られないことではなく、性別という基準によって外から方向付けられた欲望が自己を限定的な存在としてしまうことなのだ、というういわばイデオロギー批判がそこに見られる。

この小説は、男性の生殖能力を失うとともに終生少年の声を保つことを得たカストラートという特異な性の持ち主を男女の分割から免れた超越的存在として描くものであり、男性性の規範となる獲得志向の性欲から彼が解放されていると見るならばその自由はアンドロギュヌスの自由に等しいこととなる。しかも彼らは文字どおり「天使の歌声」を持つ。やはり天使とアンドロギュヌスは同一視されてしかるべき類イメージと言える。こうして『ポルポリーノ』にはアンドロギュヌスを志向する意味と価値がきわめて精密に描かれることになった。

むろん実際のカストラートがアンドロギュヌス的視点を持てたかどうかは全く疑問だが、この小説は「事実」からの類推を伝えるものではなく、今はないカストラートという存在を動機とし、それを無性ゆえに性別から自由な意識として語ってみせることで、現在の異性愛中心主義とロマンティック・ラヴ・イデオロギーを批判し相対化することをめざしているのである。

登場人物や語り手の言葉だけでなく、ところどころ、一人の青年が女性を獲得し結婚し家庭を作り子供をもうけることにどれほどの意味があるのか、と問いかけるような寓意的なエピソードも含まれる。それはまた、性役割の分化と固定化が幸せなのか、という問いでもある。

こうして理想状態としての性の未分化といったものが語られてゆく。しかも興味深いのは、性の未分化とともに、個の意識の未分化もまた、理想状態と認識されている点である。この小説を成立させた思想には、近代、もしくは資本主義に移行する個人主義的要素そのものが悪であり、抑圧的である、というきわめて素朴な見解が含まれていることがうかがえる。それは結局、ありもしない「牧歌的生活」に憧れた宮廷貴族たちの我儘な素朴さと変わらないものだ。しかし、この点をもって『ポルポリーノ』が当時（一九七四年発表）の時代的な単純さの産物に過ぎないと結論してしまうのは早計である。

この小説が「アンドロギュヌス的な視線」を見事に提示した批評的成果であることは疑えない。語り手でもあるポルポリーノが、同年代の青年の「女狂い」の見苦しさを思い浮かべ、自己がその醜態から隔てられていることを恩寵とさえ受け取る場面にそれは顕著である。

結局のところ、どちらがより憐れむべき状態にあったのだろうか、性欲のためにこの空しい探究を余儀なくされていた彼らと、こういった義務を奇蹟的に免除されていたわたしの？

（中略）

わたしには、自分が向う側へとたどり着いていたように思えていた。なんの向う側か？　わたしは見下ろしていたのだ。ある日などは、それはほとんど至福に近かった。わたしは戦いから身を退いていたのだ。

（三輪秀彦訳）

恋愛に対し、こうした超然たる態度を尊ぶのがアンドロギュヌス願望者に特有のものであることは既に述べた。

ポルポリーノがまだカストラートとなる以前の時期についての回想でも彼は、出身地であるサン・ドナートの男たちが男の性的役割を果たし続けることに汲々としている有様に憐れみの眼差しを向け、両性を分離することに夢中になる者たちへの軽蔑をはっきりと示していた。むろんカストラートである自己を認めた後の回想であるためにそのような言表となったのだが、彼にはもともと性の限定を貧しいものと見る傾向があったのではないかとも読める。しかも故郷の土地で彼はいくつもの、性別による差別に抵抗する者たちの行ないを見る。

そうした記述の果て、ポルポリーノは「何にもならなかった自分」であることを望ましいと考えるに至るのだ。

これに対し、美声に加えその美貌で周囲すべてを魅了する華やかなフェリチアーノに浅田的天使の萌芽を感じ取ることは不可能でない。

特にフェリチアーノの語る次の言葉はそのまま天使／小悪魔のそれだ。

「まったく！　もう！　一体なにびっくりしてるんだ？　ぼくはぼくのしあわせ星が与えてくれるチャンスを、ひとつとしてむざむざと逃したりしないことにしてるのさ！　男の子がいいって？　じゃあぼくは男の子さ。娘がいいって？　さあ、娘です。この世でぼくたち以外の誰が、ぼくたちが手にしているような特権を持つと自慢できるんだい？　一体誰が、ぼくたちのように二重の生活を、二重の可能性を持ってるんだ？　それなのにぼくたちはそれを利用しないのかい？　男でも女でもないっていうのは、いい換えれば同時に両方でもあるってことなんだ。素晴しいことじゃないか？　アヴァンチュールも二倍、快楽も二倍なのさ。世界全部がぼくたちのものなんだ！」

（同前）

ここでも「一にして二」すなわち無限である自己の優越性が主張されている。この人気歌手に比べると、「無性」と「何ものでもないこと」をより多く意識し、常に一歩引いた場所からフェリチアーノや王子の行状を報告するポルポリーノの存在はたいへんに慎ましく、自己を虚しくすることによってこそ天に昇ろうとする一種カトリック的な意志さえ感じられる。

ここには陽のアンドロギュヌスと陰のアンドロギュヌスがいるのだ。アンドロギュヌスは無限の性であると同時に無の性としても表象されるのだった。

ゴシックハートの望むところは人間的限界を超えることである。それはときに無限、ときに無として示される。無限であってかつ無であるアンドロギュヌスは、超越の表象として、以後もゴシックのフェティッシュであることを止めないだろう。

10

人形

1　球体関節人形の起源――ハンス・ベルメール

古くは祭礼の具として呪術に用いられ、また後には玩具としても発達した人形だが、現在、それは、ゴシックな意識を表現するに最も適した題材のひとつとなりつつあるようだ。ただし歴史的に言えば、人形とゴシックがさほど深い関係にあったわけではない。小説でならばホフマンの『砂男』やメリメの『イールのヴィーナス』のような人形怪談はあり、また、自動人形テーマの発祥としてヴィリエ・ド・リラダンの『未来のイヴ』を忘れてはならないが、主要なゴシック・ロマンスに限れば人形が大きく主題化されることはなかった。ゴシックの意識と人形とが最も相性よく並ぶのは現代ならではである。とりわけ日本での展開は注目に値する。

オブジェとしての人形を前にしたとき、これまでの人形小説にはさほど顕在化しなかった視線が発生する。

なお、ここで語ろうとする人形は一般向けに大量生産販売されるそれではないし、また民芸品から始まるような素朴な人形でもなく、その本来の意味からすれば玩具ではあっても、ときにアート、ときにエロティックなオブジェとして考えられるようなもの、愛らしさとまがまがしさとをともに具備し、場合によっては言語道断の形態、あるいは異形の形態を持つものである。ただし、ラブドールなどのように明確な性的目的を持つ道具とも異なる。

具体的にはハンス・ベルメールの制作した人形から始まるそれだ。日本でなら四谷シモン、天野可淡、吉田良、土井典らの作、またこれら先達に学びあるいは批判的にその技を継承する人形制作者たちの作品群をさす。多くは球体関節と呼ばれる可動式の関節を持ち、またこの形態の関節を持つことが、同じ人体の表現であっても「これは伝統的美術としての「彫像」ではなく、人形として制作されたオブジェである」というサインともなっている。さらにそれは取り外され、あるいは組み替えられることでより非現実的な形態の人体を表現する。

起源となったベルメールの人形は、主にシュルレアリストたちによって新たなアート／反アートとして紹介され、次第に受容されるところとなった。

日本でもシュルレアリスムに興味を持つ芸術家の間では早くから認知されていたのであろうけれども、長らく一般には知られていなかったもようである。

四谷シモンの述懐によれば一九六五年、雑誌『新婦人』で、澁澤龍彦による紹介文とともに見たベルメールの「関節人形」（当初はこのように記されていた）の写真が以後の自己の作品の方向を決めたのだと言う。この紹介文と写真は一九六七年に刊行された澁澤龍彦の『幻想の画廊から』（美術出版社）に収録され、より広く知られるものとなった。その後、一九七四年に河出書房新社から「骰子の7の目　シュルレアリスムと画家叢書」の第三巻として画集『ハンス・ベルメール』が、また一九七五年に同じ版元から種村季弘・瀧口修造訳による『イマージュの解剖学』が刊行され、ようやくベルメールの全体像がわかるようになった。

前述のように四谷シモンは自らの作品がベルメールの影響下にあることを明言しており、また最近では映画監督押井守もまた、その監督作品であるアニメーション映画『イノセンス』（二〇〇四）がベルメールの人形を動機として発想されたと語っている。

ハンス・ベルメールは一九〇二年、技師の息子としてシレジアのドイツ領カトヴィッツ（現在はポーランド領カトヴィツェ）に生まれた。技師としての職業訓練を受けた後、絵画・イラストレーションを描き、商業広告デザイナーとなるが、一九三三年、ナチズムへの抵抗として一切の「有用な労働」を放棄し、弟とともに、家にあった工具を用いて少女の人形の制作を始める。このとき作られた人形はその腹の中に覗きパノラマが仕込まれ、臍の穴から覗き、左胸のボタンを押すと機械仕掛けで場面が変わるようになっていたという。この人形を記録した写真集『人形』が三四年に自費で刊行された。

その後、一九三七年、ベルメールは第二期の人形を作り始める。これは腹に球体関節を持つもので、「中央球体」を中心にして上下に少女的な女性の腰を接続し、そこへ脚

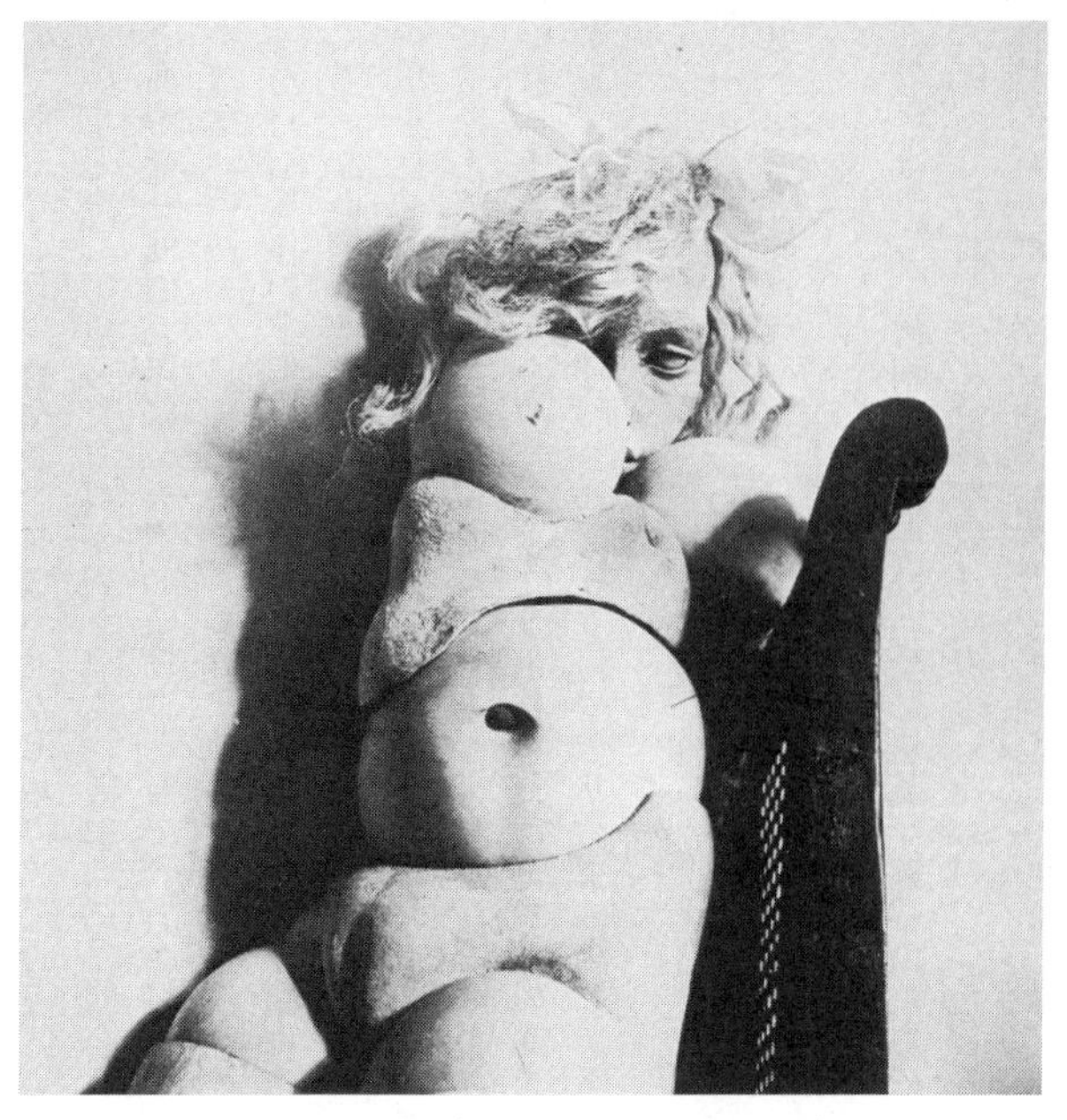

Hans Bellmer, "La poupée", 1935 (*Les Jeux de la Poupée*, 1949)

を付けたものである。これに首や腕を付属させたり取り外したり、さまざまな組みあわせを見せたものを記録し彩色した写真が残された。これらの写真はポール・エリュアールによる詩とあわせ一九四九年に『人形の遊び』として刊行された。

この「中央球体」はベルリン美術館で黄楊材によるデューラー派の人形を見て発想されたという。ただし球体の上下に下半身があるという異様な形態はそれまで誰も試みなかったものに違いない。脚は取り外されることもあり、傍に首が置かれることもある。上下に二つの尻を見せて立っていたり、一方の下半身がズボンをはいてもう一方の下半身をベッドに横たえていたり、首や家具や球体とともに投げだされたように置かれていたり、あるいは椅子によりかかって大きなリボンをつけた少女の顔を上の股間から覗かせていたりする。縛られたり分解されたり、何やらサディスティックな想像を誘うものが多い。

現在制作される球体関節人形のプランはこの『人形』『人形の遊び』の二著によってほぼ決定したと言ってよいだろう。

最初の「人形」は決して営利を求めない完全に無駄な遊戯のためのものとして作られ、かつ、作者の極めて私的な少女愛好を露骨に表現したものだった。興味深いのは彼による少女の人形がナチスおよびナチス礼賛者であった父への抵抗として誕生したということで、『少女領域』の著者である私としては、同書で語った少女たちが皆、社会的・家父長的な抑圧への抵抗者として発生したことを思い起こさざるをえない。むろんベルメールの少女人形は発現すべき「自己」を持たないオブジェであり、それを作りだしたベルメールの視線とは『少女領域』的にはむしろ少女を犯し消費する悪しき「欲望的視線」となるわけだが、しかし、後にも語るように、ベルメールの人形がもたらした想像的拡がりはそのような固定的な敵対関係を溶解させてしまう性質のものであるとも言える。

少女自身あるいは自己の意識を少女に仮託する者が、ベルメールの人形から始まるオブジェを、ある自己像として受け取ったとき、もはや主体的な原則によらない、残酷で頽廃的な空想世界がパノラマのように拡がるだろう。主体の意志を貫くことを一時忘れるのであれば、絶対不可能の空想の自己としてそれは限りなく甘美なのである。

写真集『人形』は現在さまざまな書物に再録されて一部もしくは全部を見ることが可能だが（ただし腹の内部に作られていたという光景は見ることができない）、そこにあるのは制作過程にある「作りかけ」の人形とその分解の様子だけで、完成した人形の写真はない。

また『人形の遊び』にはもはやわれわれが「普通」と考えるような規範的な形態の人体はない。腹・臀部・下腹部と四肢、そして首、それぞれが分解の後、仮に寄り合わせられてさまざまな背景のもとに撮影され、彩色によって飾られた記録があるのみだ。

　これらのことがベルメールにおける人形との戯れの意味をよく示している。ベルメールは人形の身体の部分部分を溺愛していて、統一された（と一般に前提される）全体としての身体には興味がないかのようだ。この傾向は人形ばかりかデッサンや銅版画にも顕著に見られる。そこで多用されるダブルイメージの手法、つまり身体のある部分と別の部分とを重ね合わせて見せる（たとえば眼と女性器を同じものとして描く）表現も同様に、部分への過度の執着という原理によるものである。さらに彼の著作『イマージュの解剖学』の題名にも明らかなように、ベルメールの志すのはどこまでも微細な身体の一部、内部、肉の襞のひとつひとつへの凝視であり、またその意識は、切り取り分解し組み直されてありえない形態を示す身体の与える驚きと淫靡な喜びとに集中している。全体主義を憎んだベルメールは、身体への認識においても「全体像」の優先を認めていない。

　思えば自己の身体の全体像などとは言うが、それは鏡や映像機器によってかろうじて統一体として認識されるだけで、事実上感じている自己の身体の感覚とは、分断された断片的なものの集積ではないか。ベルメールの絵やオブジェはどれも「部分としての生」の微分的な表出に忠実である。

　もうひとつ指摘しておきたいのは、ベルメールの写真集・デッサン集・版画集を見てどうしようもなく感じさせられてしまう性犯罪的な匂いである。これは本書で猟奇として述べた方向に近いとも言えそうだが、もう少し歴史的な何かを予想させなくもない。そこで私が思い出すのは日本版『イマージュの解剖学』巻末の種村季弘による解説の一節である。

『10の工作―ドキュメント』（註1）の前文に当る、「パノラマ」の解説のような小文をこの私的回想（註2）と併読してみるならば、ベルメールが、このさまざまの悪趣味かつ下等なイマージュを覗きからくりで見る趣向に、単に「三文小説家や魔術師やお菓子職人」の見せる部分的なスペクタクリズム以上の、いやこれらの職業に分化する以前の根原的なページェントへの郷愁を塗り込めている消息が判明するだろう。鏡の回転につれて臍の覗き穴から覗き見る観客の眼前に刻々に変容して行く、少女の悪趣味かつエロチックな内部は、私に何となく中世のカーニヴァルの山車に設けられた「地獄」を連想させる。カーニヴァルの山車の「地獄」も、厭らしい醜怪なオブジェや下等動物の犇めく二目と見られぬ堆積で、祭もたけなわのときに、それは一瞬公開されてから焼却されるのである。（ミハイル・バフチーンによる）

引用者註1　日本版『イマージュの解剖学』の第一章「人形」に含まれる写真記録。

引用者註2　第一章「人形」前半部をなす文「人形のテーマのための回想」をさす。

この淫靡さ、背徳感は最初の人形の腹の中のパノラマだけにとどまらない。「二目と見られぬ」何か、それを見てしまっては以前の自己とは異なった者になってしまうかも知れない何かを覗き見たい、という空想的欲望を巧妙に誘いだす要素が、ベルメールの作品にもある。その誘惑は、長らく、聖と堕、光と闇を限界まで見届けようとしてきたヨーロッパの意識が、めざすべき聖者の言葉とともに、許されない悪魔の囁きとして心ならずもたびたび洩らしてきたものだ。

これまたヨーロッパ原産であるところのゴシックという意識の形もまた、この暗い何かに強い渇望をいだいている。ベルメールの人形の彼方に、ゴシックハートは最高に甘美な罪悪を幻視する。

2　ゴシック・ドール——四谷シモン、三浦悦子

四谷シモンを、日本での球体関節人形制作者の草分けであり第一人者であると告げても異論はあるまい。さらに「ゴシック・ドール」とでも呼ぶべき種類の人形が日本で生まれた経過に関して、先駆者として、また後には人形学校「エコール・ド・シモン」で

の指導者として、四谷シモンという作者の影響を見ないわけにゆかない。

一九四四年生まれのシモンは、年譜によれば十五歳で既に相当な値段で売れる人形を制作している。人形の制作は以後も継続されたが、一九六五年にベルメールの人形を知ることで大きな転機を迎える。一方また、唐十郎率いる状況劇場に女形として出演したりもした。

二〇〇〇年に開催された「四谷シモン――人形愛」展図録に収録されたシモンの人形を見てゆくと、時間とともにその主となる形態が変化してゆくのが興味深い。

ある程度傾向が決まってくる一九七三年以後七八年以前ではヴァンプ型と言えるような女性の人形が主で、それらはガーターベルトを付け陰毛を具備し、あるいは黒いヴェールをまとい、ときに強烈な化粧をした様子に作られている。

およそ一九七八年くらいからと思われるが、以後は打って変わって清楚な表情の少年少女が制作される。ただしこのときエロティックな要素はより強度を増しているとも言える。それらは十全な形態のこともあれば機械仕掛けの内部を晒すような形に作られていることもあり、中にはわざと制作途中のように胴の木組みを見せているものもある。

さらに一九八四年にはキリストを思わせる細身の成人男性の人形が現われ、以後は少年少女や天使像と並行して、現在の作者自身にも似た容貌を持つ大きな体軀の男性裸体像が作られるようになって現在に至っている。

実作をすべて追っているわけではなく、目にする機会を得た展覧会や写真集に発表されたものからの感想に過ぎないが、この作品傾向の変容は、四谷シモンの作る人形が彼自身の理想像としてだけ作られてきたことを印象づける。またそうしたことを作者本人もおりおり語っている。

初期には娼婦もしくはクイアーな男娼が、次には無垢な少年少女が、そして現在では見事な肉体を持つ中年から初老の男性が、いずれもかくあるべき自己の形として制作されたのだと、私には考えられてしまう。制作者の望むところは誰のためでもない、自己愛と呼ぶべき他者と共有できない衝動の造形だ。四谷シモンは自己愛を人形として表現し続けることでここまで来たのである。彼の辿った道筋はいずれも自己のためのものでありながら、しかし同時に「求道（ぐどう）」という営為をも強く印象づける。そのいやはてに現われた聖者か高僧のような男性の人形は、ひとつの人格の達成にさえ見えてしまう。

オブジェである人形を自己像として愛するという意味であればベルメールにもあるいはそれ以前の多くの愛玩用の人形にも一様にあてはまることだ。しかし、ここにはそれらの見方とは似て非なる態度、ただし見た目だけではわからない差がある。

結果として同じに見える人形であっても、それが連続して作られる経過を見てゆくと、作者の用意した文脈と言うべきものに否応なく気付かざるをえない。ベルメールの人形にも自己愛の投影はあったにしても飽くまで抽象的なレヴェルに留まり、それはやはりはっきりとオブジェであり、愛でるための客体であった。四谷シモンの場合、その人形は「自分が愛する対象」というより「誰かに愛される自己」の表現なのだ。シモンは完全客体である人形を「愛でられる自己」として造形してゆくという倒錯を意識して実践してきたのである。ではその「愛してくれる他者」とは誰だろうか。最初は素朴な日常的想像から始まったとしても、その他者性をどこまでも求め続けてゆけば、いずれそれは究極の他者である「神」とならざるをえまい。そして絶対者に向かうのであれば愛らしさだけが強調される理由も薄れてゆく。そのことに気付いたとき、彼の人形には修道僧めく面影が宿った。

日本で作られる「ゴシック・ドール」の最も大きな特徴は、どこまでも作る側と見る側にとっての「客体的な自己の在り方」として人形があることである。

たまたま命名してみた「ゴシック・ドール」だが、四谷シモン以後、その呼び方の最もよくあてはまる人形を作る若い作者として三浦悦子がいる。

その作品は株式会社カンゼンから刊行された『義躰少女』（二〇〇三年）によっておよそのところが俯瞰できる。そこには黒革の下着をまとい針金で片目を縫い閉じられた少女や、両足のないまま金属製の籠型パニエによって立つ少女、片方の腕が骨と化しているもの、腹を太い紐で縫われ金属の貞操帯を嵌めたもの、切り取られたような首だけ多くの鋏とともに容器に入れられているもの、片腕を輪状の針金で胴に固定されたもの、全身の皮膚が包帯状となり無数の金属の爪でとめられているもの、完全に取り外された部品として鎖で下げられている首や手足、胴、さらには機械や道具と一体化し、ジッパーや鎖・金属シャフトを付けられ、顔や手足をもなくした状態のものなど、後へゆくほど過激な形態の人形が写し取られている。

また三浦の人形はプロポーションがいびつで、長い胴、細長すぎる腕、それに比していささか短かすぎあるいは奇妙に湾曲した脚、ときには異様に突き出た腹、といった身体に、顔だけはひどく愛らしい、というものが多い。それが傷つき、縫われ、また毀されている。

無残、哀切、しかしその可憐さが異形の天使とも思わせる。

もし見る者がそれを自己像としてとらえるなら、自身の異形と人外(にんがい)の性(しょう)をより強烈に意識することが可能なものとなっている。

別の見方をするなら猟奇そのものであり、かつて見せ物とされたような身体の変異を一層誇張した形態と言えるかも知れない。またそれは奴隷化されていたり、監禁拘束されていたり、損壊されていたり、ときに解体された死体のようであったり、沼正三のマゾヒズム小説『家畜人ヤプー』に描かれた「人間家具」的様相を呈していたり、あるいはH・R・ギーガーの描く「バイオメカノイド」を思わせるように肉体が機械に組み込まれて部品化していたり、あらゆる被虐の様相を見せている。

死体、身体欠損、異形、猟奇、といったものがいずれも人形の形で示される。あるときから現実の人体によっては表現を禁じられてしまった、身体に関するゴシックな想像のすべてが人形という媒体を用いることで表現されている。

人を用いては許されない言語道断な身体の提示が可能なのは、何よりも人形に人権がないからである。

付　この文を公刊した後に知った重要な人形作者としてもう一人、中川多理をあげておきたい。二〇一四年、ちくま文庫から『リテラリーゴシック・イン・ジャパン　文学的ゴシック作品選』というアンソロジーを刊行したおり、その表紙に中川制作・撮影による人形の写真を使用させていただいた。このアンソロジーはそれなりに評価を得、増刷もしたものだが、その好評の理由のひとつはこの中川による可憐で物憂げな表情の人形によると思う。

3 人形化願望――『O嬢の物語』『DOLL』

人権とはあらゆる人間への不当な迫害と虐待を禁じるものであり、その発生はやはりヨーロッパを起源とする。また現在考えられる人権は「主体性」の尊重とほぼ同義の関係にある。

われわれは通常、不当に自由を奪われないため、自他ともに主体性を尊び人権を認めようとしてはいる。憲法にもそれは明記されている。しかし、どうも日本の意識の多くはヨーロッパにおけるような「主体としての私」だけを強く望むものではないらしい。

自著『無垢の力――〈少年〉表象文学論』で論述したとおり、西洋から「主体」という意識の持ち方を学んだ近代日本ではむしろ、他者と葛藤し自己主張する「主体」の醜さを嫌悪する側面が多くあった。そのとき望まれたのは、主体をより少なく持つ意識の在り方であり、その究極の在り方としての無垢、つまりは主体を持たず完全な客体としてだけ存在することへの、不可能と知っての憧れが生じた。

こうして大正以後、美しく可憐な少年と少女が無垢の象徴として憧憬された。その後も無垢への憧憬は主に美少女への憧憬として、現在まで脈々と受け継がれている。

そして、これが球体関節人形として造形されるとき、何にも増して完全な客体であるゆえにいかなる受難・虐待をも無言で受け入れつつ可憐であり続ける無垢な少女（ときに少年）として、見る者に美しく可哀想な自己像を描くことを許す。

ゴシック・ドールとは最も無残な様相にありながらどこまでも無垢であろうとする自己の理想なのである。

「愛らしい人形が欲しい」という獲得欲望から「愛らしい人形でありたい」という変身願望へのシフトがゴシック・ドールの発祥である。見る側の性別も年齢も問わない。眼前にある可憐な人形、それは人権を主張すべき主体を持たないゆえ、いいように拘束され損壊され解体されている。そのことに抗議すらしない人形の客体性＝無垢に憧れるとき、人は主体としての人であることを逃れたがっている。

「人形化願望」と呼ぶべきそれは、ときに人形という形を取らないでも表出される。たとえばマゾヒズムのレッスンと言えるような展開を語るポーリーヌ・レアージュの小説『O嬢の物語』に描かれた主人公の意識がその好例である。

O嬢は合意の上、ステファン卿の奴隷となり、臀に烙印を押され、性器を鉄の環で封鎖され、全身の毛髪を除去され、梟の仮面を頭からかぶせられて夜の舞踏会に鎖で引かれてゆく。しかもこれには書かれていない結末があり、ステファン卿に棄てられたO嬢が卿の同意のもとに自殺するというものらしい。文字どおり人権の侵害の物語だが、しかし読者によってはそこに、ある甘美な想像を描くのだ。そのとき『O嬢の物語』はひとつの理想を語る書と見なされる。

これを理想と感じるとはどういうことか、と言えば、つまり完全に主体性を放棄した「人形」としての自己の達成という意味である。

私はこの小説のヒロインO嬢を想像的理想状態として望んだ女性を知っている。むろんそれはどこまでも空想として、幻想としての理想であって、彼女が実際に奴隷状態を望んでいたのでは決してない。むしろ現実の上では他者による権力的侵害を最も憎んだ女性でもあった。にもかかわらず、理想の自己として想像されたのは完全な客体である自己なのだった。

なぜそういうことが起こるのか。それはやはり命令し決定し他者との闘争を続けてやまない近代人の主体というものが、彼女にとってあまりに醜く、汚れたものに感じられたからだろう。一切の自己主張を放棄してされるがままに従うという客体の無垢を望んだ結果なのだ。そして、意識的な自己の主体的思考とはうらはらなこの客体性への憧れ、つまり無垢への憧憬は決して特異なものではなく、多かれ少なかれ現代人に潜んでいるものと考えられる。

われわれは日々、自己にとって認め難いものと敵対し、自己の思うところを主張し、いくらかでも自己の自由を獲得しようとあがいている。だがときおり、人によってはかなり頻繁に、このような汚れた自分、主体のためにじたばたと見苦しい策略配慮をめぐらせ続ける自分にほとほと愛想が尽きていることに気付く。ちまちまといじましく微小な権力を拡張しようとするこんな主体にどれだけの価値があるのだろう。いっそすっきりと無になってしまえばいかばかり美しいことだろうか。

あるいは、絶対的に帰依する他者（ならばやはりそれは神である）から、眼をえぐれと言われればためらいなく眼をえぐり、手足を切断せよと言われれば容易く切り落とし、二目と見られない異形になれと言われれば醜悪な形となって生き、そして死ねと命ぜられれば直ちに自殺する、そういった完全な客体、自己の主体に何の執着も持たない自動人形としての自己を夢見る。宗教的な帰依というものをも、私はこのように無垢な自己の構築の方法と考えている。

自ら動き、主人の命令に従う意志とそのための知性は持つが、主体は持たず自己の存続のための配慮もないというアンドロイドの物語を連作として描いたのが三原ミツカズの漫画『ＤＯＬＬ』（全６巻・祥伝社刊）である。

そこに描かれるドールたちは女性の型の場合、作者の好みからかいずれもメイド服を着たゴスロリ風の衣装で現われる。そして主人の命ずるいかなることにも応じ、理想的な従者・家政婦を務める。ときには愛玩用となり、ときには性の相手となり、また子供の代わりを演じたりもする。ところが型が古くなって飽きられると捨てられ毀されてしまう。スクラップ工場で、作業者が、一体のドールに「人間を憎いとは思わないのか?」と問うと「いいえ。だって『人が生きる』お手伝いをする為に私達はいるのですから」と答え、彼女は従容として毀されてゆく。

これを読む人は、このとき「無私」ということの美しさに何か非現実的な憧れを抱かないだろうか。決してなれはしないことは知っている、しかし、非主体の美しさに強く反応してしまう心、それが人形化の願望だ。

付　二〇二二年現在としては、二〇〇八年に刊行された伊藤計劃のSF長編小説『ハーモニー』についても、右の見解からいくらか考えることができそうに思う。が、そちらは後続の方にお任せしたい。

4　人形主義——マリオ・A

日本では、明治以来、国民国家のための主体形成の進行とともに、それを嫌悪する客体化願望がはっきりと表われ、主に文学に「無垢な美少年を自己として愛する」という物語が記された。敗戦後も、美少年から美少女へと様式を変えたものの「無垢な存在へ

の憧憬」は存続した。だが、いかに美しい少年も少女も、現実のものであれば生身であ
ることの制限からは免れない。しかも現実の彼らには否応なく主体がある。もともと無
垢もそれへの憧憬も想像的な理想への希求、幻想の自己像への愛なのであってみれば、
完全に人工の美少年美少女を自らの「本当にあるべき形」と望むことがあってもおかし
くはない。むしろそれこそ憧憬の極みなのである。
人形化という想像を巧みに唆してどこかしら錬金術師のような魔術性といかがわしさ
とを感じさせるアーティストを紹介しよう。
マリオ・アンブロスィウスはスイス生まれのドイツ系イタリア人、現在は東京とベル
リンとを交互に行き来しているという。
彼の写真集『ma poupée japonaise』（二〇〇一年、論創社刊）は、劇団ロマンチカ所
属の女優であった原サチコをモデルとして撮影したものだが、特異なのは、原を生きた
女性として撮っておらず、飽くまでも人形扱いしていることである。まず最初の方の写
真では、球体関節を持つ手足を外されて胴と首だけを箱詰めにされた原の写真が提示さ
れる。むろんトリック撮影である。次に着衣の、次いで裸体の写真があるが、それらは
すべて肘・膝等、関節にあたる部分に黒いゴムを強く巻くことで、その部分が取り外し
可能であるかのように思わせ、あたかも球体関節人形の写真であるかのように見せたも

のだ。

着衣の写真でもモデルは完全に無表情、いわば人形の顔をしており、また姿勢も投げだされたような不自然さを強調し、肌の質感だけが生身を感じさせるそれらは、どれも「生きた人形」を現出させている。

実際の女性を用いて人形化するという倒錯的なこの写真集からは「人形のような女性への欲望」を読み取ることも容易いだろう。だが、その一方で、「人形になってしまう女性」の幻想を描くこと、また無表情に投げだされたそれを自らの姿と空想することも可能なのである。

江戸川乱歩は典型的な人形愛を描く小説『人でなしの恋』を書いたが、随筆にも『人形』があり、そこでは次のように始めている。

人間に恋はできなくとも、人形には恋ができる。人間はうつし世の影、人形こそ永遠の生物。という妙な考えが、昔から私の空想世界に巣食っている。

やや大袈裟な逆説を弄するレトリックと思われるかも知れないが、自身の恋愛観を語った随筆『乱歩打明け話』で、現実の女性との性行為を伴う恋愛を「何だか不純な、したがってほんとうの恋でないような気がするのだ」と記した作者ならではの言葉と言える。

引用部の後、乱歩は「バクのように夢ばかりたべて生きている時代はずれな人間にはふさわしいあこがれであろう」と続けた。なるほどこの随筆が発表された一九三一年当時「時代はずれ」と感じる向きもあったかも知れない。だが、映画『イノセンス』が公開され球体関節人形展が東京都現代美術館で開催される二〇〇四年に（そして現在も）、これは最もふさわしい言葉ではないだろうか。

11

廃墟と終末

1　廃墟を愛する心――レーンドルフ、フリードリヒ、グラック、稲垣足穂

廃墟趣味というものがかつて十八世紀ヨーロッパに存在し、それはゴシック趣味ともほぼ重なっていたという状況は美術史に詳しい人ならご存知のことだろう。当時古城というのは多く廃墟の形でも存在したわけである。ところで古城に限らず、私もまたさまざまな形で廃墟を愛する者だが、これはどういう心象なのだろうか。

ひとつの意見として、廃墟を愛するのはそれが過去の繁栄をしのばせるからだ、という。廃墟を好むのは過去が素晴らしかったという記憶への郷愁なのだ、だから廃墟はいつもノスタルジックに語られる、つまりそれは最高の時が終わった後の現在を厭う気持の表われだ、と。

ある点で正しい所を衝いているようにも思え、自分を振り返っても、廃墟に懐かしさを感じるのはそのとおりだし、また今が駄目だという感じ方は常にある。

とはいえ、懐かしさといってもその場から遡る実際の過去を愛しているのではない。廃墟の絵の前や廃墟そのものの中にたたずむとき、心に直接あるのはただそこにいたいという願望で、とりたてて過去の栄光を慕う気持ではない。廃墟は荒涼とした状態であ

るからよいので、それが新しく未だ壊れていなかったときの様子を想像させるからよいのではないと思えるのだ。

廃墟を自己の延長として愛する心地に近いとも言えるか。

ヴェラ・レーンドルフというモデルは写真家ホルガー・トリュルシュと組んで『ヴェルーシュカ』という写真集を刊行した。そこには廃工場の壁や錆びた鉄扉など、廃墟的な背景と同じ色合、同じ汚れを保護色のようにボディ・ペインティングされたレーンドルフの写真が収録されている。このときレーンドルフは廃墟に溶け込み、その一部となっていた。

これは私がかくありたい状態を視覚的に表現してくれたもののように思える。私は廃墟の瓦礫のひとつ、崩れた壁に伝う枯れた蔦となって、ただそこにいたい。廃墟への浸り込みは、アンビエント・ミュージックの響く中で意識を薄れさせているときのそれに近い慰安を与えてくれる。そのとき過去は問題でない。

ただ、そこに留まりたくなるような廃墟にはどこか自堕落な頽廃が欲しい。別に由緒のある古代建築の跡である必要はなく、数十年前廃棄された工場や使われなくなった駅、同潤会アパート（註：戦前に造られた鉄筋コンクリート造りのアパート。代官山、青山など都内に複数あり、戦後も長らく使用されていたが、二〇二二年現在は残っていない）風の住居が無人となって荒れているような、そこから多くの夢を描くことはできるが実際的な希望はない感じのものがより浸れる。終わりの感じ、というのがよい。

　これをダウナー系の傾向とすると、廃墟にはアッパー系の傾向もある。

　ドイツ・ロマン派の画家フリードリヒは多くの廃墟の画で知られている。描かれているのは紛れもなく廃墟だが、私には、そこに浸るというよりは仰ぎ見るもののような気がする。フリードリヒはまた荒涼として壮大な自然風景も描いており、その味わいには廃墟画と通じるものがある。飽くまでも崇高なのだ。荒廃した地上を覆う空の果ての果て、曙光（しょこう）のさし昇る方（かた）を見上げ憧れる情動の映像化と言える。廃墟を描きながら天上の理想を願っている。終わりの光景ではあるが、その先の異世界の到来を予感させるのだ。過去を偲ばせるのではなく、現在の延長でない隔絶した高い次元の未来を望んでいる。ニーチェの著作を読むときのような緊張と自我の肥大とをそれはもたらす。

　ドイツ・ロマン派の崇高もまたゴシック的想像の範疇に入れるべき、忘れ難い憧れの形象化だ。そこに頽廃は強く感じられないけれども、夢だけがあり希望のない場であるのは同じである。

　廃墟は現在既に終わっているものだから現在の延長としては何も新たなものが見えない。もしそこに何かを望むなら現実を一挙に飛び越えた別の世界の未来しかない。それがつまり夢だ。ドイツ・ロマン派やシュルレアリスムへの扉がそこから開く。

　とはいえその一方でやはり、現実的な意味での希望のなさ、つまり地に足のついた進

Casper David Friedrich, "Abtei im Eichwald", 1810

歩向上としての未来のなさ自体もまた廃墟の魅力であり続けている。

　未来のなさという印象を持たせる描写でいつも思い出すのはジュリアン・グラックの『シルトの岸辺』だ。中世イタリアを思わせるものの、いつとも知れない時代の架空の都市国家オルセンナが遠からず崩壊に向かうだろう運命を暗示してゆく物語だが、中に「サグラの廃墟」という死んだ街を描く章があり、次のような様子である。

> サグラはいわばバロックの傑作であり、およそありそうもない、不気味な、自然と人工の衝突だった。よほど古い時代に造られた地下の用水路が、何十マイルも先に湧く水源から引いてきた水を石畳の隙間から溢れさせ、街路を横切って流れるにまかせている。ゆっくりと、何世紀もかかって、この死んだ町は石畳を敷いた密林となり、野生の巨木に支えられた空中庭園、樹木と石材が展開する巨人の闘争図と化したのだ。（中略）
>
> 　私は驚きに呑まれたまま、そよともしない枝が濡れた石畳に日の光の網目を走らせている、この緑の薄明の中を進んで行った。地べたには重い湿気が漂い、苔が襞をなして切り石を覆い、物音を吸い取ってしまうので、耳に聞えるのはただ、いたるところから浸みだしては石を洗って行く水の澄みきった響ばかりで、それがまるで爆撃か大火災のあとにしたたる、のんびりした水滴の音を思わせた。

（安藤元雄訳）

植物の生命力がやや動的な要素を導き入れてはいるが、浸食される人工物はもはや壊れ朽ちてゆくだけで二度と再建されることはありえず、運命的な下降感が伝わってくる。グラックはゴシックという遺産の非未来性と反現代性を意識的に用いた作家である。最初の小説『アルゴールの城にて』はあからさまにゴシック・ロマンスを模しつつシュルレアリスムの手法によってそれを再構築した陰鬱な運命劇で、文字どおりアルゴール城という古い城館が舞台だった。古城らしい荒涼がゆっくりと伝えられる。だがここにもただ下降だけでない要素はある。

アルベールがこの急斜面の頂上に達した瞬間に、城の全体の姿が、かくれていた最後の茂みからぬけ出した。ここでようやく、城の正面がせまい台地を完全にふさいでしまっているのが見て取られた。左側の高い円塔に寄りかかって、ただ一面の部厚い壁をなしているのは、平らに切り出された青い砂岩で、それが灰色がかった漆喰を着せられている。建物の何とも威圧的な性格は、屋根が平らなテラスに仕立てられているところから来るのだが、これは常に雨の多い風土から考えると実に珍しい特徴だ。つまり、この高い正面の頂きは硬い水平の一線を空に押し当てて、まるで火災に焼け落ちた宮殿の壁のようだが、それが塔と同じく、城壁のすぐ足もとから見上げるほかはないところから、何とも形容しがたい高みの印象が生まれて来るのだ。

（安藤元雄訳）

この出現の感触はおそらくフリードリヒの『エルデナ修道院の廃墟』や『樫の森の修道院』などの与える崇高に近いものだろう。やはり超越を暗示するものだ。グラックは、終末を予感させる記述の合間合間に彼方への憧れの影を差し挟み、荘重華麗な比喩の迷路を歩む読者を立ち止らせ、何かの啓示を手渡す。

同じ城の描写は次のように続く。

数えるほどしかない開口部の形状と配列も、負けず劣らず目を驚かせた。階という概念、今日ではおよそ調和のとれた構築物の概念からほとんど切り離せなくなっているこの概念が、ここではまったく締め出されてしまっているように見える。城壁にあいているわずかな窓は、上下の位置がほとんどどれも不揃いで、内部の配置の奇抜さをうかがうに足りる。下の方の窓はいずれも低く平べったい長方形を見せているが、これは建築家が、昔の城塞で火縄銃の射撃に用いたような狭間のデザインからヒントを得たものであることが見て取られる。これらの細長い割れ目は、その縁を色のついた石で飾るわけでもなく、まるで無気味な通気孔のようにむき出しの壁に口をあけている。ところが上の方の窓は、意表をつくほど高く細く立ち上った尖頭アーチで出来ていて、すらりと伸びた、ほとんど痙攣的と言いたいほどのその垂直線の方向が、高いテラスの、花崗岩の胸壁の重い水平の頂きに対して、息づまるほどの対照をなしている。

(同前)

時間と空間を越えて存在する不可思議な交点を見るように、ここでふと私は、ある連想にとらわれる。

稲垣足穂の『少年愛の美学』は、少年愛に託して彼方への憧憬だけを語った随筆である。それは、少年愛のイデアとして足穂が「宇宙的郷愁」と呼ぶ、形而上的で、かつ限りなく懐かしい、だがその懐かしさの対象が限定できない何かを、どうにか言語によって定着しようとした書物とも言える。ゆえにそれは理由の知れない郷愁が微かに認められる具体的な例示を無数に積み上げることによって成立している。

中のひとつに次のようなものがあった。

> 京都の大寺の薄暗い書院で朱べりの畳を踏んだり、回廊を渡ったり、由緒ある庭園の片すみに佇んだり、あるいはまた最寄りの城址で矢狭間がならんだ城壁を仰いだりする時に、さながら野外テーブルのおもてを掠めた小鳥の影のように、われわれの脳裡に閃く何いうともない気懸りこそ、「衆道」の Tradition であり、Authenticity だと私は思う。

洋の東西こそ違え、古城の壁に穿たれた狭い窓を仰ぎ見るときに訪れる何かが語られる。私の連想は直接には矢狭間をきっかけにしているが、その赴くところは決して建築形態上の一致だけではない。またここで足穂の言う「『衆道』の Tradition であり、Authenticity」を「男色」「同性愛」という性愛の問題だけに限定してはならない。『少年愛の美学』全編を読めば容易くわかることだが、それは私たちが精神と呼ぶ意識の働きの内、高度な理想を求める伝統的価値体系として見た「衆道」を拠り所にして語っているだけで、「男色の奨め」自体が目的なのではない。幾多の手懸りをもとに足穂が伝えようとする最も肝要なものは「さながら野外テーブルのおもてを掠めた小鳥の影のように、われわれの脳裡に閃く何いうともない気懸り」としか言えない何かなのだ。

それはフリードリヒにもあり、『ヴェルーシュカ』にもグラックにもあった。ばかりか街でふと見つけた工場跡や壊れゆく無人の住居にもあるものだった。現在の静かな物思いの根拠として、同時に非在の彼方を偲ばせるよすがとして、あらゆる廃墟にその気懸りはあり、それをこそ私は「懐かしい」と言う。

たとえば城壁を見あげての、このゆえ知れない気懸りの発見は、ゴシックがある普遍的な懐かしさに到達した瞬間のように私には思える。

2　世界の終わり――モンスー・デジデーリオ

廃墟とはそこにひとつの「終わり」があったという証拠である。廃墟の過去を思うのであれば私の場合、その繁栄の時間ではなく破局の瞬間の方により意識がゆく。静的な現在の廃墟に対し、それは動的な崩壊として把握される。廃墟自体にもあった安逸と覚醒という二方向が、廃墟と終末という形ではより際(きわ)やかに対照される。

ならばさらに想像を進めて破滅・破局・終末の映像にも届かせてみよう。

十七世紀初め、ナポリでモンスー・デジデーリオと呼ばれた画家（「モンスー」は「ムッシュー」のイタリア語訛りとのこと）は廃墟の画とともに、都市が今まさに崩れさる瞬間や神殿が劫火とともに崩壊する場面もまた多く描いており「大異変の画家」「世界の終わりの画家」と称されたという。それらは大崩壊、大異変を目撃したいという期待が描かせたものだ。

むろんそうした大異変の渦中にいるのでは見るも見ないもない。飽くまでも神のような視点で大崩壊を遠望したいというきわめて虫のよい発想である。ローマ中に火をつけて眺め入ったという皇帝ネロのそれのような欲望とも言えるか。

崩壊好み、というのは実は誰にでもあって、また相当根強く愛されていて、最近のSFファンタジー映画などの映像表現には特に顕著である。ホラー映画と同じく、自分自身が死の危険に見舞われるのでなければ、崩壊と異変はこよないスペクタクルとなる。最近の高度な技術を用いた映像で見るそれは、私には後期ロマン派による大規模交響曲のフィナーレのようにも感じられ、陶酔を誘う。

こうした望みを拡大すれば、文字どおり「世界の終わり」を眺めていたいという、より傲慢な願望に到達する。

澁澤龍彥は「世界の終わり」の光景にひかれる理由を次のように書いた。

まず考えられることは、自分が世界全体を一望のもとに眺められる位置を確保したいという、まことに単純かつ幼稚ではあるが、それだけに痛切な、一種の形而上学的欲求が私のもとに在るからだろうと思われる。終末論とは、申すまでもなく歴史意識の産物であるが、この直線的な歴史的時間の究極を空間的に置き直せば、ただちに中心意識、すなわち、世界の中心を見つけ出そうとする意識に転化させることが可能となるのである。空間的に置き直す、と書いたが、それは別の言葉で言えば、イメージ化する、ということでもあろう。
　したがって、世界の終りに際会したいという欲求は、おそらく、あのファウスト博士の「時よ、止まれ」という欲求、時間の妄執から逃れたいという欲求と同じものであり、分裂した世界をふたたび統一し、世界の全体像を一挙に手中に握りたいという、あの中心意識に取り憑かれた、あらゆる芸術家の熱望と同じものになるのである。

（『ミューゼアム・オブ・カタクリズム』）

　芸術家の、というと特別な場合のように聞こえるが、芸術の芽は彼らだけが持つのではない。とりたてて芸術に志す気のない普通の生活人にも、どこかに「分裂した世界をふたたび統一し、世界の全体像を一挙に手中に握りたいという、あの中心意識に取り憑かれた」熱望がひそんでいる。大崩壊、大破局を描く映画や絵画は普段気付かない、そうした「芸術の芽」を少しだけ意識化させる。

3　救済のない黙示録――『デビルマン』

現代日本のわれわれから見て、キリスト教的終末を記した『ヨハネ黙示録』はそのままがしく異様な記述にもかかわらず、本当の意味での終末を意味しない。それは神の国の到来を告げる過程の記録だからだ。正しいキリスト者にとって、世界は終わるのではなく、神のプログラムによって更新されるのであり、それはキリスト者に待ち望まれる、邪悪の完全排除、たとえば「徹底行政改革」のようなものである。

だが、イエス・キリストの黙示として語られている『ヨハネ黙示録』が、その源泉としたのは当時、キリスト教以前から伝わっていたであろう民間の恐ろしげな終末観だった筈だ。救い主の言葉がこれほどにおどろおどろしい預言でなくともよいではないか。キリストの黙示と言いながら、そこにはキリスト教由来のものでない本当の終末への期待と恐怖が隠れていはしないだろうか。

そうした原・黙示録的世界が、キリスト教的教義からは完全な異端とされるであろう組み替えと変形を施された物語として、二十世紀後半、なぜか極東の一地域に噴出したことを私たちは知っている。そこではもはや絶対的な神の加護も正しさも信じられていなかった。

それは「ハイカルチャー」とされるインテリ向けの芸術作品として提出されたのではなかっただけに、われわれの意識により深く刻まれたように思える。

典型となるのは永井豪の『デビルマン』だ。

滅亡、終末、世界の終わり、そういった真に黙示録的な物語は、もはやしみじみと沈むような語法には合わない。最大の不安、恐怖、無残と虚無感の内に誰の思惑にもなじまず人間の都合にさえよらない物語として語られねばならない。

グラックの諸作のような、高度な象徴的レトリックに頼る「文学作品」によっては、破滅の直接的な衝撃と悲痛さとを肉感的に伝えることは難しい。直接性の点では映像的表現が最適である。といって当時、映画では予算その他、制約が多すぎた。漫画という手段は的確だった。

世界観はH・P・ラヴクラフトがその発端となる幾つかの小説を書き、そこから彼を信奉する多くの作家たちによって生成されていった「クトゥルー（クトゥールフ）神話」に近い。人類が発生する遥か前、地球は異様な姿の邪神たちによって支配されていたが、その後地上は人間たちの世界となった。けれども邪神たちは今も潜んでおり、ときおり人間界に出現して恐ろしい事件を引き起こす。

『デビルマン』では人類以前の支配者を「悪魔」とした。有史以前、悪魔たちは天使らとの戦いに敗れ、長い眠りについていた。だが、反逆天使サタンに率いられて復活し、人類を滅亡させる。

これにキリスト教的ハルマゲドンの伝説を照応させ、また人類を滅ぼす悪魔（デーモン）族はあらゆる生物に合体しその能力を得る属性を持つとしたものだが、その驚くべきカタストロフに、聖書のような予定調和の感がないのは、途中で物語そのものが暴走していった結果だからだ。

もともと『デビルマン』は連続TVアニメとして企画され、その放映とともにTVとは異なる漫画版が雑誌に連載された。主人公に関する設定の差を別にすれば、最初はどちらも、悪魔族の力を持つ少年が「悪魔人間」デビルマンとなり愛する人そして人類を守るため、デーモンと戦う、『仮面ライダー』型の変身ヒーロードラマとして出発した。TVアニメでは最後までその路線が守られたが、漫画版の方では中盤以後、勧善懲悪のヒーローストーリーから大きく逸脱し始める。卑怯な差別と自己保身から魔女狩りを始めてしまった人間たちによって守るべき女性は惨殺され、その人間たちを鏖殺（おうさつ）したデビルマンは人類のために戦う理由をなくす。このとき人類そのものは既に滅ぼすべき害虫でしかない。後は、無差別に合体してきた悪魔の身体能力を乗っ取ることで「デビルマン」となった少数の人間意識保持者だけがミュータントとして集結し、悪魔族との最終戦争を開始する。

だが、悪魔族の総帥であるサタンは、悪魔たちに味方した反逆者であるだけでそもそもは天使なのであり、純白の翼を持つ両性具有の美しい姿をしている。堕天使サタンと戦う絵を見る限り、デビルマンらの方が悪魔に見える。では神は？　サタンは自分たちの親が世界を創った神であると告げるがそれはもはや正義と真実を与える主なのではない。正しさは決定不能であり信は個の愛憎によってしか成り立たない。力だけが勝敗を決める。

最後にデビルマン不動明はサタン飛鳥了に敗れ、死して横たわる。敵対しながら彼を愛していたサタンはその顔を羽で隠し彼の脇にうずくまっている。彼方から不思議な天使らの群れが曙光とともに昇って来る。聖書の黙示録と相似の結果とはなっているが、それが一般に考えられる正しさの勝利を意味しているとは考え難い。神があるとしてもそれは人間を正しさによって選別してくれる聖書の神ではない。もし悪魔が滅びたと言うなら、デビルマンをも含めた人類とミュータントのすべてが例外なく滅ぼされるべき悪魔だったことになる。人類は最初から無用で無意味な存在だったのだ。

これほどの終末をいったい西洋で描けただろうか。私たちはヤハウェの呪縛を強く持たない。そうした地の者であってこそ「善悪によっては測られない黙示録」が描かれた。

だが、愛する女性を救い人類を救うという約束どおりに進む筈であったヒーローストーリーが、漫画版でどうして突然ここまでの暴走を始めてしまったのか、それは作者永井豪にもよくわからない部分に属するに違いない。ユングであれば集合的無意識の発現と言っただろうが私はその理論を信じるつもりはない。ただ『デビルマン』が、世界的な普遍性を持つ神話として成立していることは事実と思う。

4 あてのない世界改変——『新世紀エヴァンゲリオン』

『デビルマン』の後、映像メディアはこの非キリスト教的黙示録性をも歴史的な財としてゆく。

そのおそらく最も大きな成果のひとつが庵野秀明監督のTVおよび劇場用アニメーション『新世紀エヴァンゲリオン』だろう。

ただこれについてはもはや語られ尽くした感があり、敢えて多くを告げる必要もない。ゴシックの視線としては次のふたつの要素に注目するにとどめる。

ひとつは連続TVアニメでありながら半ば以降、その規格からの逸脱を始めてしまっていること、もうひとつはグノーシス主義と呼ばれる思想を変形して利用していることだ。

物語の中途からの逸脱は、このアニメーションが漫画版『デビルマン』の生成過程をなぞっていることを思わせる。『デビルマン』の与えた衝撃は歴史となってこうした制作姿勢を許し、肯定させたのだ。

これにより物語は後になるほど規範的な善悪と正誤の判断が壊れてしまい、何のために戦うのか、もはや見ている側にも不明瞭になってしまう。しかもこちらには『デビルマン』が持っていた個の信念というものさえない。

『デビルマン』では、主人公不動明の行動の理由には牧村美樹という愛する女性があった。彼がかつて親友であった飛鳥了と死闘を開始するのも、実はサタンである了が美樹に虐死をもたらす状況を作りあげたからである。世界的な意味での正義や善悪はもはや無意味だが、明の愛憎の論理は明確に持続している。『デビルマン』の主人公の行動の理由は外部的な規範・教条にはよらないが個人的な愛憎には忠実なのだ。

ところがTV版『エヴァンゲリオン』では、主人公碇シンジの戦う理由が彼の納得のゆく信念として提示されないばかりか愛憎という確かな原理さえ見失い、回を追うに従って、突然に選ばれ戦わされることの不条理感だけが増してゆく。

TV版最終回では、シンジが実際に何を行なったかも不明なまま彼の内面世界が描写された後、唐突に祝福されるのみだった。シンジは何のために何に打ち勝ち、何を得たのか。その補足の形でTV放映終了後に公開された劇場版では、要するに最後はシンジの意志が世界を滅ぼすとともに、再生させるという経過がニュアンスの形で示されている。しかし終始優柔不断なシンジには、善悪の判断はおろか確固とした愛憎の行動原理さえ希薄である。これは、ごく普通の、信念に乏しく勇ましくもない現代日本の少年が、君にすべての決定を委ねると言われてただ困惑し、結局は愛ですらない性的な衝動でしか世界を測れなかった、という情けない実態を露呈させた物語と言ってもよい（註：この文は『ヱヴァンゲリヲン新劇場版』が公開される以前に書かれたので、ここでいう結末はテレビ放映版第二十六話、および第二十五・二十六話をリメイクした一九九七年公開の『新世紀エヴァンゲリオン劇場版 Air/まごころを、君に』でのそれをさす）。

アニメーションというジャンルでここまであからさまに、文化規範の崩壊した現在の個の主体の無力さを描き出したのは驚嘆に値する。しかも『デビルマン』が日本という非キリスト教的でかつ多宗教混交的な文化圏に必然的に発生した神話であるように、『エヴァンゲリオン』は日本という非キリスト教的でかつ主体の希薄さの顕著な土地に見出された内的事実の記録でもある。

ただ、特定の神や宗教、国家や民族や思想には常に疑いをいだきながらも自己の個の好悪だけは固く信じているゴシック的思考者としては、シンジの行動にはとても共感できないと言っておこう。シンジの自意識の彷徨は、あるいは現代日本の意識の典型なのかも知れないが、自分はそれとは違う。その違いを私はゴシックと呼ぶのだ。

だが、シンジの決定困難のそもそもの理由は、本人に了解不能な形で「君を戦士とする」と決定され、さらにその後「君が世界を決定せよ」と命じられるという、押しつけられる条件の非現実性にある。なりたいとも思わない英雄になり、なりたいとも思わない神とされた心弱い少年の軌跡が『エヴァンゲリオン』の結末を用意していた。

ただの気弱な一少年がある日突然、神に等しい決定権を握るということの奇妙な発想はどこからきたのだろう。

ここに『エヴァンゲリオン』のもうひとつの特徴がある。『エヴァンゲリオン』には『デビルマン』以前からの、たとえば澁澤龍彦の伝えたような西洋オカルティズムの道具立てがこもごも恣意的に歪曲されながら結集している。おおむねはカバラとグノーシス思想がもとになっているようだが、別に深く奥義をきわめて用いられているようには見えず、それらのイコンと語彙を映像や情報としてあちこちにちりばめることで黙示録の体裁を作りだしているだけだ。

それらはあまり厳密に考え始めると間違いと御都合主義ばかり目立つものとなるだろうし、カバラの象徴として知られる「生命の樹」の図像などは「気になる部分」ではあっても、強い必然性によると言うより要するにデザインの問題なのだ。ただし、グノーシス思想の方は後半のストーリーを決定する要因となっている（ヘブライの神秘主義カバラをグノーシス派の流れのひとつとする考え方もあるらしいがここでは起源が異なるものとして区別する）。しかもそれが前半までは表に出ず、後半数回になってから俄かに突出するため物語を予期しない形に向けてしまっている。

『デビルマン』の当初のプランが『仮面ライダー』的な変身ヒーローものだったように、

『エヴァンゲリオン』は最初、不意に来襲する侵略者を正義の巨人が倒すという『ウルトラセブン』型のシチュエーションに、『機動戦士ガンダム』以来の巨大ロボット（ただしエヴァンゲリオン機は生体兵器であり、外部装甲がメカニックなだけでロボットではない／註：なお、後に監督・庵野秀明は「これもロボットアニメだ」と述べたとされる）。アニメーションの様式を加えた少年ヒーローストーリーをめざすかに見えた。

世界維持を目的としていたはずが途中から突然、世界そのものへの異議申し立てと改変という別のテーマになってしまうのは、確かに主題曲やオープニングにそれらしい語や図が用意されていたとはいえ、やはり違和感を感じさせる。しかもこの逸脱は『デビルマン』がそうだったように、人類のため未来のため正義のためといった市民的進歩主義をすべて否定してしまう論理が根拠になっている。

その論理というのが、西洋オカルティズムの源流となったグノーシス主義によるものだ。ＳＦとして始まった『エヴァンゲリオン』を途中から魔術的な黙示録としてしまう根拠が、個と世界の直接接続を可能にするグノーシス主義という思考である。

ただしそれはとても限定された解釈のひとつで、たとえばグノーシスの精神をもとに発達した錬金術の態度に近い。「不完全なこの世界を人の手で補う」というものだ。「人類補完計画」（この語自体はＳＦ作家コードウェイナー・スミスの作品シリーズ名「人類補完機構」に由来する）という作中の語がそのあたりをよく示している。

世界を創り直す、という発想は澁澤龍彦によれば次のようなところにあるらしい。

グノーシス派の一派のなかには、人間は知識（ソフィア）によって宇宙の秘密に迫り、神とひとしく小規模な創造を行うことが可能であると説いたものさえあった。

（『夢の宇宙誌』より「世界の終りについて」註部分）

これがおそらく『エヴァンゲリオン』の基本となる魔術的世界観である。シンジは、ある種の真理を得ることによって、地球という場を完全に更新し、作り直す作業を託されたのだ。ただ、凡人である彼には以前より優れた世界は作れそうにない。

付　この後二〇〇七年から二〇二一年にかけて、庵野秀明はいわば「仕切り直し」のような形でリメイク版として『ヱヴァンゲリヲン新劇場版』四部作（『序』『破』『Q』『シン・エヴァンゲリオン劇場版:||』）を監督・製作した（これにあわせ、一九九七年公開の劇場版は「旧劇場版」と呼ばれる）。この結果、あたかも自傷行為のような旧劇場版の結末は大きく変更され、「主人公は多々の苦難を経て大人になる」といういわば調和的な形で終わった。テレビ放映版の頃から一貫していた父ゲンドウの傲慢・理不尽な態度も語りなおされ、なんとゲンドウはシンジに自らの至らなさを懺悔

する。それは見る者にある究極の納得を与えるだろう。驚くべき高度な映像を駆使したこの新劇場版の映画としての評価は高く、私も見終えて何かほっとした思いを得た。とはいえ、かつて監督庵野が描いた、やむにやまれぬ不条理な破壊的衝動、その衝撃はない。それはそれでよいのだが、当『ゴシックハート』としては旧版の、製作者が自身をも損ないながら見る者の内奥を抉るような野蛮さについてのみ語ることとしておきたい。

5　中井英夫とグノーシス主義

グノーシス主義についてさらにいくらか記しておこう。

グノーシスはもともとギリシア語で「知識」あるいは「認識」を意味する。グノーシス主義という宗教思想はヘレニズム時代に盛んであったとされるが、起源はもっと古いとも考えられている。これは要するに、この世界は支配欲にとらわれるばかりの愚かな造物主（デーミウールゴス）の創造した誤ったものであり、その過ちを知ることのできる者たちにとっては権力の牢獄である、とする思想と考えればよいだろう。世界の外から来る叡智を得ることによって世界全体の規範が不正であることを知り、そこからの脱出を図ろうとする反逆的な思想である。必然的に現世界とは別の「世界の外」「真の世界」という絶対世界を想定することになり、劣った偽の現世界と真実の外世界、という二元論の思考が展開される。この論理によればユダヤ・キリスト教の絶対神ヤハウェもまた誤った造物主デーミウールゴス（ヤルダバオートとも呼ぶ）と見なされる。『旧約聖書』の「創世記」を読み替え、善悪を知る樹の実を食うなと命じたヤハウェの教えを人間に叡智を与えまいとしたデーミウールゴスの権力意志の露呈、実を食うようすすめた蛇を叡智の伝達者とするパロディ神話も記された。このため、ローマ時代以来「正統」を勝ちえたカトリックはこの種の宗教思想を徹底的に弾圧した。

ところで、人間もこの世界の創造者によって作られたのであれば、どうして創造者の過ちを指摘することができるのだろう。またどうして「外の世界」を認識することができるのかという疑問も生じる筈だ。それを説明するために幾つかのグノーシス起源神話が伝えられてきた。『ヘルメス文書』に含まれる『ポイマンドレース』、『ナグ・ハマディ文書』に含まれる『ヨハネのアポクリュフォン』と呼ばれる文書などがその基本的な発想を伝えている。

それらは物語的には複雑な違いを見せているが、主要な論理は次のとおりである。

人間の肉体と魂（「心」と考えてもよい）は現世界の創造者デーミウールゴスによって作られたものだが、その霊（この場合、個々に持つ「魂」と区別される無意識的な人間の本質をさす）だけはデーミウールゴスには作ることができず、現世界の外にある真の世界プレーローマからの光によってようやく得られたものである。

『ポイマンドレース』では真の世界で生まれた原人間（アントローポス）が地上に映った自らの姿への愛着から現世界に囚われ、隷属してしまった、という経過を語り、霊の根拠が外にあることを示している。『ナグ・ハマディ文書』に属する文献では、およそ、デーミウールゴスは世界と人間を作ったが人間の霊は作れず、プレーローマから与えられた輝きを得てようやく霊ある人間を成立させたことになっている。そのさい、デーミウールゴスは、自己の霊の輝きを人間に吹き込むことで失ってしまったため、今もそれを持つ人間への嫉妬と強い支配欲をいだくようになった。

こうしていずれも、人間はその霊を研ぎ澄ませばプレーローマから流出してくる輝きに反応できるが、デーミウールゴスにはできない、という結果となる。人間は造物主よりも優れた可能性を持つという意味だ。そして自己の内にある微かな光の自覚によってプレーローマとのつながりを回復した人間はこの世界を離れて飛翔し、真の世界へ帰還することができる、というのがグノーシス神話の結論である。

これに対しデーミウールゴスは、自己の創造した世界から人間たちを逃がさないよう、人間に肉体的死を与えて地上の生存への執着をいだかせ、真の世界を忘却させた。さらにアルコーンと呼ばれる邪悪な下位支配者を従え、星と地上の運命を操作させ、そればかりか、人間の肉体にも罠を設けた。特に著しい罠は性欲である。人間はその霊の本来の属性が両性具有であったことを忘れ、一方の性だけしか自己に自覚せず、そのため、もう一方の性への欲望によって地上を離れることができなくなった。

これらの網の目のような支配を退けてこの世界から脱出するには、死を怖れず、生存のためだけの願望を放棄し、過酷な運命にも屈さず、性欲にとらわれず、瞑想し、啓示者の助けにより自己の霊が光として伝える言語的でない叡智を得ねばならない。叡智を得た者は救われるが、得られなかった者は永遠に牢獄としての現世界につながれる。

グノーシスが知識を意味するとおり、グノーシス主義は、真の理想を知らず世界の過ちを把握できない愚者は一切救済されないというきわめて選民意識の強い思想である。ローマ時代、出世の道を絶たれた知識人層にこれが流行したという話があるのもうなずける。

その動機に現実的な支配権力への怨恨があるのは言うまでもない。相対的に見れば、グノーシス思想とは敗北者が自己を肯定するための論理である。

だが、では、支配権力の言うことが正しいのか？　それはもともと有利な者をより有利にしてしまう不公正な原則で作られていはしないか。動かせない制度のもとで、それを批判する動機はいかにして得られるか。

正統とされる考え方と規範を批判しようとするとき、当の考え方と規範をどこまでもつきつめてゆけば破れ目が見えて来る、というのはデリダはじめ、多くの現代思想家がその方法とするところだが、ただ、なぜこの規範を正しいとするのか、という疑問と否定を感じるためには、一度は現にある規範を「外」から見るという発想が必要ではないだろうか。

グノーシス主義はそうした契機を与えるのである。そして、世界と自己という区別を知り、自己の圧倒的な不利を知った者に超越への夢としていつの時代どこの地域にでも発生するのがグノーシス主義的思考だ。

グノーシス主義的と言える思想はキリスト教異端や魔術・錬金術だけでなく、徹底変革を求めるある種の左翼にも、また「アプリオリな正しさ」を批判する現代思想にも認められる。それらはもはや原典とその伝播として考えるべきものではない。現状への異議申し立てを強く意識した者はいつか必ずグノーシス主義的発想を示してしまうだろう。

中井英夫はその著作にたびたびグノーシス主義的な言葉を記している。

オレはこんなところで生まれた筈はない、どこか遠いところ、たとえば他の天体からむりに連れてこられたのだと、幼年のわたしが固く信じて、その故郷へ戻るための呪文を日夜唱え続けていたのは、むしろ当然だったかも知れない。

（『虚無への供物』三一書房『中井英夫作品集』に収録のさいのあとがき）

たとえば地上的な、あまりにも地上的な作品いっさいの土壌を掘り返し、その執拗な根を断ち切ること。生活に名をかりた、とめどもない自己肯定を退けること。反対に幻想という言葉のあいまいさ・浮薄さのすべてを切り落し、その本来の鉱脈をたずねあてること。いうまでもないが反世界への飛翔は現実からの逃避ではなく、隠された扉をひらいてその奥なるものの姿を見きわめるための方法であること。

（『血紅の美酒――泉鏡花に寄せて』）

恋愛ばかりではない、動物が雌雄に分れ、種族保持の本能から交接をくり返すこと、その性慾と食慾とを有無をいわさず持たせられていること自体、おそるべき罠だと感じ始めたのは、何とも気の毒という他はない成り行きだが仕方がない。このほうは皇軍勇士の進撃とはこと違い、地球の終りまで続けられること請け合いなのだから。

（『金と泥の日々』）

この感じ方はおそらくグノーシス文書から学んだものではなく、中井の意識の在り方が必然的に導き出したものだろうと私は思う。

グノーシス思想は極端な人間中心主義と言える。霊の有無という理由によって動物と人間とを画然と分かつ思想であり、遺伝子科学が普及した現代のわれわれにはそのままではなかなか受け入れにくいかも知れない。ただ確かに、自分の居場所に適応するだけでなくその居場所に疑問をいだきそれを自分に合わせて変更しようとするのは今のところ人間だけだ。

つまり、グノーシス思想は人為・人工の肯定にもとづく発想なのである。それが錬金術という「世界を補完するための技法」をめざさせもした。なお錬金術とは卑金属から黄金を作るという名目のもとに、あらゆる低い段階にある物質を高い段階に到達させることを真の目的とする技術を言う。

ゴシックの原典のひとつである『フランケンシュタイン』は錬金術の流れを汲む異端科学によって人造人間を作りあげる物語だった。ゴシックの精神には錬金術的な「人為によって神の技に到達したい」という願望が潜んでおり、その奥にあるのは神をも凌駕したいという傲慢なグノーシス主義的発想なのだ。だからそれはマリリン・マンソンが行なうような、現世界のルールへの露骨な否定表現になる。

一方、フランケンシュタインズ・モンスターの側から見たこの世界とはグノーシス主義者の見る牢獄としての世界でもあるだろう。モンスターがヨブのような口調でヴィクター・フランケンシュタインを糾弾するとき、ヴィクター自身が小さなデーミウールゴスなのだ。

12

幻想

ゴシックな想像力が文学として書き表された場合、それは幻想文学に属するものとなる。だが、幻想文学がそのままゴシックであるとは限らない。

幻想文学はミステリやSFと異なって確定したジャンルと考えるべきものではない。たとえば純文学にもミステリにもSFにもヤングアダルトにもポルノグラフィーにも幻想文学である小説は存在するし、また私の考えでは「幻想文学」というとき何も小説だけが対象となるのではない。詩歌にも戯曲にも評論随筆にも幻想文学と言えるものがある。

それが幻想文学なのかどうかは読者が判断する他ないのだ。

以下しばらく、私による定義を示しておく。

1　過度の想像力と文学

想像力ということについて考えてみたい。想像力とは、「ここにあること・もの」だけでない、「ここにないこと・もの」まで思い描く能力、とでもしておけばおよその了解は得られるだろう。その前提で考えるとき、この種の想像力はむろん誰しも所有するが、その度合いの強過ぎるものについては実生活にむしろ不要であることが多い。たとえば自分が現在一万円を持っているとき、その一万円で何が買えるかは情報収集の問題である。そしてその情報の中から現在の自己の状態に最適なものは何かを考えるのは、想像力の「実質的」と言える使用である。

ところが、この一万円で二万円相当のものが得られれば、とか、いやこれが十万円分であれば、とか百万であれば、無限であれば、などと考えるのは過度の想像と言うべきだ。そういう想像はほぼ何の役にも立たないばかりか、実質的な判断を鈍らせかねない。ときにこの種の想像を刺激することで詐欺が成立する。あなたの持ち金を二倍にしてさしあげますよ、と。この言葉に騙されてしまう人とは、願望の描く虚像に我を忘れた人、過度の想像力によって判断力を失った人である。

いやこれはわざと卑俗過ぎる例としてあげてみたまでで、本来、過度の想像力とは単なる金額の増加などでは満足しない、もっと総体的で甘美な物語をめざすものだ。もし自分が……だったら、と現在の自分にはありえない存在となることを夢見る癖もそうだし、目の前にある風景がもしこんなふうに異様なものだったら、こんなありえない事件が起きたら、などという方向に想像を延長させるのがその本来の道筋である。するとその先に「幻想」が訪れる。

この幻想があまりに魅惑的であったとき、人は実質としての身の回りの現実に飽き足りない思いをいだく。それは一市民でしかない者が王侯貴族である自己を思い描く無意味な高慢と変わらない心の用い方である。その種の「過度の想像力」は、無用の期待や矜持（きょうじ）を拡大させるばかりで、実生活を賢く楽しく生きるにはひどく邪魔な、あればあるだけ当人を生きにくくさせるものである。大きすぎる期待やそれが成らなかったさいの絶望はすべて過度の想像力のもたらしたものだ。期待しすぎず絶望もしない、過不足のない判断を保持し続けることこそ、よりよく現実を生きる態度ではないか。

しかしこの過度の想像力がかろうじて存在を認められる分野があって、それが文学・芸術の世界である。ただし、その場合も読者・鑑賞者からの支持が得られなければ全く無用無能な「下手の一人踊り」でしかないことは敢えて指摘するまでもあるまい。

しかも、文学・芸術の分野でも「過度の想像力」などなくとも、十分に優れた「作品」を制作することは可能なのであって、従来その中のひとつの流派をリアリズムと呼んだ（ここでの「リアリズム」は手法ではなく、現実優先的態度をさしている）。むろんリアリズムと位置づけられる作品でも相当に想像力を必要とする。ただ、「無限に迫ろうとする」種類の、また異世界を幻視しようとする、物理的にありえない出来事を思い描く、あるいはまた「自分が実際の自分とはかけ離れたこんな存在であれば」といった体の「過度の想像力」とそれらは無縁である。

いや、事改めてリアリズムとされる態度のそれでなくとも、現実の何かを鮮やかにあるいは衝撃的に描くような小説は想像力よりは観察力や直感力によっていると言うべきで、とりわけ「純文学」の場合はこちらの能力の方が尊ばれてきた歴史がある。

そして結局、過度の想像力のおもむくところは、文学ならば「幻想文学」と呼ぶべき特殊性を刻された著作に落ち着く。

幻想文学とは、過度の想像力の優位を延長した結果としての、あるがままのものに飽き足りない意識が紡ぎ出した世界の様相を語る文学と、ここでは定義してみたい。

たとえば江戸川乱歩はその代表的な作家だ。彼が「この世が退屈で仕方がない」と言い続けたのは過度の想像力の描く世界を基準にして現実世界を眺めたためである。

さらにここで幻想文学者の典型として考えたいのは中井英夫である。中井は乱歩にも増して過度の想像力によってなるテクストばかり残した作家と言える。

ここで言う幻想文学者とは幻想を描く作家であるだけでなく、幻想という魅惑を基準にしてこの世界を見ないではいられない作家の謂であり、その視線の質が保たれる限りにおいて彼の書くものはどれも幻想文学である。よって作者の認識・憧憬・否定意志等がすべて一貫して過度の想像力優位の前提にある場合、その作家が書き残したテクストに読まれるものが一般的な区別としての現実であるか非現実であるか、またフィクションであるかノンフィクションであるかさえ、幻想文学であるかないかの基準にならない（なお「幻想小説」と言う場合には非現実を描くフィクションと限定してよいだろう）。

このような理由から、たとえば、中井が終生の伴侶とした男性に癌が発見され、苦しい闘病を経て死を迎えるまでを記した悲痛な日記である『月蝕領崩壊』もまた幻想文学なのである。

もはや「小説」ではないし、狭義の「文学」ですらないかも知れない。しかし確かに幻想文学者の残した記録である。しかもそれは通常の「フィクション」によっては達しえないものまで伝えてくる種類の幻想文学なのだ。

『月蝕領崩壊』の筆者中井は過酷な事実を前に祈り願いときに憤り、無力なばかりか相手に何の思い遣りも示せないできた自己を責め、実はすべての罪障の源が自己にあるに違いないという心凍るような確信にも囚われ、嘆き訴える一人語りをどこまでも続ける。そのとめどない言葉は「作家」であることを放棄しているような趣きさえある。

だが、そこに一貫しているのは「この地上はそもそも私たちには不向きな土地だった」「この世界は邪悪な罠に満ちている」「私たちにとっての真実は世界の彼方にしかない」というグノーシス主義的な現実否定の志向だ。終（つい）の伴侶・田中貞夫とともにいたときは文人として生きることにも喜びを示していた中井だが、田中が去って以後はもはや本当にこの世界を愛せなくなっていたように私には思える。

幻想文学者は現世界の外に魅せられた人々だ。彼らとて普通に生きようとはしているが、動かしようのない現実的限界を前にすると幻想への憧憬が生きることへの意欲を一挙に上回ってしまう。古来、世捨て人と言われた人々にそうした暮しをさせたのはこの種の想像力の過多ではなかっただろうか。

2 日本幻想文学の自覚

近代日本文学では泉鏡花が幻想文学発生期の代表的作家と言えるだろう。その後、谷崎潤一郎・芥川龍之介・佐藤春夫・内田百閒・牧野信一・梶井基次郎・中島敦・江戸川乱歩・横溝正史・夢野久作・小栗虫太郎・国枝史郎・稲垣足穂・野溝七生子・宮沢賢治・尾崎翠といったところが続き、何人かは敗戦後にも活躍する。ただ、それらは現在から振り返って幻想文学だ、と言うだけで、いくつかの分野にまたがる文学作品を「幻想文学」として編成しなおす発想は戦前にはなく、自覚的にそうしたことが考えられるようになったのは敗戦後である。

日本の文芸評論として「幻想文学」という考え方を最も明確に示したのは川村二郎の『銀河と地獄――幻想文学論』（一九七三年）だと思う。上田秋成から江戸の狂言作者、泉鏡花、幸田露伴から吉行淳之介までが分析の対象とされ、柳田國男・折口信夫・南方熊楠などの民俗学者の著作までも「幻想文学」という新たな視線のもとに再発見されている。この著作以後、「幻想文学」という語が文学評論の用語として組み込まれた。以降も川村は『内田百閒論』『白夜の廻廊――世紀末文学逍遙』『語り物の宇宙』『白山の水――鏡花をめぐる』といった幻想文学的な、もしくは幻想文学肯定的な著作を発表し続けている。

さらに一九六〇年代から一九八〇年代までの期間に「幻想文学」という文学観をひとつの理想として示したのが澁澤龍彦と中井英夫である。

いずれも西洋的な知性をもとにした高級遊戯の文学という姿勢が基本的な出発点になっていて、澁澤は「幾何学的精神」といった語に代表されるような想像力の使用方法と博物学的な奇想のコレクション、中井はグノーシス主義的な発想およびロマン主義的憧憬とミステリ的手法の洗練を示した。

澁澤龍彦による幻想文学への見解は既にあげた『暗黒のメルヘン』編集後記が最もわかりやすい。他に『夢の宇宙誌』『思考の紋章学』などの評論随筆、『唐草物語』『ねむり姫』『うつろ舟』『高丘親王航海記』などの小説がその世界をよく示す。

中井英夫は長編『虚無への供物』が代表作とされるが、幻想文学としてならば短編集『とらんぷ譚』がその資質を最もよく示している。また評論随筆『ケンタウロスの嘆き』『地下を旅して』『香りの時間』『地下鉄の与太者たち』などに幻想文学への態度がよくうかがえる。

一方、一九六〇年代末以後、海外の幻想文学を翻訳・紹介し、その普及をめざした人に紀田順一郎と荒俣宏がいる。ともに翻訳・評論そして小説の著作を持ち、紀田は書誌に関する、荒俣は博物誌に関する研究でも知られる。また荒俣の長編小説『帝都物語』

が近年最もよく読まれた本のひとつであることは言うまでもあるまい。

紀田・荒俣の翻訳および編集による幻想文学紹介の仕事は『怪奇幻想の文学』（一九六九年〜七八年　当初全四巻、後に増補して全七巻　新人物往来社刊）をはじめ、日本初の幻想文学専門商業誌「幻想と怪奇」（一九七三年〜七四年　第十二号で終刊　創刊号は三崎書房刊、二号以降は歳月社刊）、そして大部の『世界幻想文学大系』（一九七五〜八六年　全四十五巻　国書刊行会刊）があり、荒俣単独の編集として『妖精文庫』（一九七六〜八三年　全三十四巻別巻三、内三巻分は未刊行　月刊ペン社刊）がある。加えて一九七二年以後、外国の著名な幻想文学を翻訳刊行した創土社のシリーズ「ブックス・メタモルファス」にも紀田訳の『ブラックウッド傑作集』『M・R・ジェイムズ全集』、荒俣訳の『ダンセイニ幻想小説集』『ラヴクラフト全集』（一巻・四巻のみ刊行）などが含まれ、この二人が日本幻想文学に与えた恩恵は計り知れない。

なお、ゴシック・ロマンスに関しては牧神社の『埋もれた文学の館』シリーズ（全五巻、一九七七年）の後、小池滋・志村正雄・富山太佳夫編の『ゴシック叢書』（一九七八〜八五年、全三十四巻、国書刊行会刊）という大きな贈り物が記憶される。

その他、私にとって幻想文学の先達と記憶されるのは、英米文学の平井呈一、由良君美、矢野浩三郎、風間賢二、高山宏、富士川義之、柴田元幸、ドイツ文学の種村季弘、矢川澄子、前川道介、深田甫、池内紀、フランス文学の生田耕作、巖谷國士、出口裕弘、日本古典文学の松田修、高田衛、郡司正勝、須永朝彦である。

以上のような歴史を継いで一九八二年に創刊し、二〇〇三年六十七号をもって終刊した批評誌「幻想文学」（東雅夫編集・川島徳絵発行）はこれら先人の志向をもとにしつつ、より広い範囲での幻想文学の紹介と分類、批評、支援・育成を果たした。現在、「幻想文学」と言う場合は、ほぼこの雑誌の示した指針によるものと考えてさしつかえない。

澁澤龍彦の伝えた「幾何学的精神」は、願望充足をめざすあまりときに制御をなくしてしまいがちな想像力を、他者である読者が興味を持って読める言葉として再編成しなおすための手段と言える。あるモティーフを「実際の私の生な欲望の充足」のために用いず、モティーフ自体の発する方向性や連想によって知的に展開させてゆく態度を澁澤は理想としていた。だからモティーフは大抵露骨に欲望的だが、その扱いが常に他人事として書かれていて、ロマン主義の発想が窮まったときのような自己投影がないので読者に不快感がない。

一方、中井英夫は飽くまでもロマン主義者であり、「反世界」という視線を確保して書くため、その態度は常に現状と制度への生々しい批判意識を持つものとなる。特に、優れた知性や美意識が相応の尊重を受けず、動物へのそれに等しい仕打ちを受け続けていることを彼はいつも憤っていた。その意味ではヒューマニストである。だがそのあるべき「人間」の基準は人間より神に近い。必然的にほとんどの人間の示す下劣さを嫌悪することにもなる。こうした態度は、場合によっては傲慢と受け取られるだろう。澁澤のポピュラリティに比べると読者を選ぶ作家と言える。

付　二〇一八年、ローズマリー・ジャクスンの『幻想文学――転覆の文学編』（*Fantasy: The Literature of Subversion*）が下楠昌哉によって全訳され（書名は『幻想と怪奇の英文学Ⅲ』として刊行）、そこでは「幻想文学」をジャンルと考えず「様式」と見よ、という定義の変更とともに、従来、ともすれば「逃避の文学」としてネガティヴにとらえられてきた「幻想文学」を「現実とみなされた事象・思考を転覆させる手段」としてポジティヴに、前衛的・攻撃的な文学手法としてとらえなおすことが主張された。望ましい意見と思う。以後、この見解は日本でも幻想文学を語るさいの前提となるだろう。

3　ゴシック・シュルレアリスム――キャリントン、バロ

ボッスやブリューゲルの時代には幻想的と言える絵画が数多い。ゴシック的と言うな

らそれら中世からルネサンス期のヨーロッパの美術について語るべきかも知れないが、ここでは特に「近現代のゴシック」を考えてみたい。そのとき、何より注目されるのはシュルレアリスムという芸術運動によって生まれた数々の不思議な絵画である。

ただし、巖谷國士の『シュルレアリスムとは何か』によれば、もともとアンドレ・ブルトンが始めたシュルレアリスムは決して幻想を求める運動ではない。それが「超現実」を目指しているのは確かだが、その接頭辞「sur（超）」は「（現実を）越えた外の」という意味ではなく、「より強度の高い」という意味と考えるべきなのだ。つまり、現実でありながら常識的・意識的なレヴェルでは感じ取れない、隠された本当の現実を知ろうとする運動として、シュルレアリスムは始まったのであって、現実逃避や願望充足をめざしたものではない。

ブルトンとフィリップ・スーポーによる自動書記の実験の記録や、偶然と無意識を重視する詩と散文は、夢のようではあっても「幻」として書かれているのではないのだ。絵画としての表現も幻想を描くことを目的としていたわけではない。

そこのところはよく確認しておこう。シュルレアリスム絵画＝幻想画ではない。とは言うものの、とりわけ絵画として残された作品を見てゆくと、たとえそれが「より強度の高い現実」を求めて書かれたのだとしても、現在のわれわれからすれば、幻想的、と言わざるを得ないものばかりである。

エルンスト。ダリ。マグリット。シュルレアリスム絵画の巨匠たちの絵はどれも異様な夢の世界のようで、驚異に満ちている。そして、それが幻想を求める者たちの目にひどく好ましく映るのも事実なのだ。

ここでひとつ提案しておこう。幻想を現実と対立するものとだけ考える必要はない。現実の延長線上に現われる驚くべきものの感受もまた幻想としておいたらどうだろう。われわれの意識は現実自体をそのまま認識することはできない。そこには想像による把握が常に含まれる。その部分を強調したとき描かれる「一般的でない現実」をもときに幻想と呼ぶのだ。

幻想と言うとき、「現実を越えた別の」の意味とともにシュルレアリスム的な「現実をより強めた先の」の意味もここでは含むことにしたい。いずれも今ここにあるのが唯一の現実だと感じる意識への疑いから発生するものだからだ。つまり、幻想の発生として考えた場合、グノーシス主義的な反世界の態度を取ることもあれば、この世界そのものの異様な相貌を求める求道者の態度をとることもあるのである。

その意味でシュルレアリスムから生み出された世界に幻想的な喜びを見出すことは禁じられていない。とりわけ、シュルレアリスム主流ではなく傍系とされるような作家・画家にはとても魅力的な幻想が描かれている。

その中から、ゴシック・シュルレアリスムとでも呼べるような描写を実践した作家たちを以下にあげる。

小説であれば既にあげたジュリアン・グラック、またアンドレ・ピエール・ド・マンディアルグ。特に後者は澁澤龍彦の愛した「幾何学的精神」の実践者だった。

美術・絵画ならば、不思議な街に佇む同じ顔の裸女の群ればかり描いたポール・デルヴォー、10章で触れたハンス・ベルメール、またセクシュアルかつフェティシズム的な絵画を残すとともに自ら女装して写真を撮りクイアーな世界を極めたピエール・モリニエ。

さらに、レオノーラ・キャリントン、レメディオス・バロ、レオノール・フィニィ、ドロテア・タニング、トワイヤン、といった女性のシュルレアリストたち。いずれも魔術的な表現を示す。

ブルトン自身には非常に権威主義的な性格があり、今で言うなら「マッチョ」なところがあったように見受けられるが、しかし、結果として彼の始めたシュルレアリスムは多くの女性芸術家に表現の方法と場を与えた。その意味で、シュルレアリスムは当時、他の芸術運動に比べればきわめて女性受容的だったと言える。

特に私の好きな女性画家二人について語ろう。

レオノーラ・キャリントンの描く世界は近代以前、中世よりもさらに昔、諸神さきわう多神教的な、キリスト教からすればひどく異教的な、精霊の世界のように見える。妖怪か怪物のようなものとともに眠る女性や、跳梁する奇妙な物体、神聖な表情を示す動物、中にはユーモラスなものもいる。森の奥で旋回しているうちに全員が混じりあってしまったらしい少女たち。

どれもひんやりと冷たい質感、無気味な物体・生き物があちこちに描かれていたりもするが、そこから伝わる情緒は陰鬱ではなく、何かはじけたような思い切りのよさを感じさせる。

キャリントンは小説も書いており、絵画にもときに見えるその思い切りと言うのか、人間性へのこだわりのなさのようなものは『最初の舞踏会』という短編にもうかがえる。これはブルトン編の『黒いユーモア選集』に収録されており、澁澤龍彥による翻訳なら『怪奇小説傑作集』第四巻（創元推理文庫）で読める。ハイエナと友達の少女は舞踏会がいやで、ハイエナに代わりに出てもらうことにした。女中を食い殺して顔の皮を剝ぎ、それをかぶったハイエナが着飾って舞踏会に出たものの、途中で顔の皮を食べて逃げ去ってしまう。澁澤は解説でこれを「残酷な童話のような味わいがあり、わたしのとりわけ愛する作品の一つである」と記した。

何かが言いようもなく奇妙で、またハイエナの言葉が女友達的な口調に訳されているのも面白い。

レメディオス・バロはメキシコ在住であった画家だが、移住してきたキャリントンと

Remedios Varo, "Papilla Estelar", 1958

も友人だった。キャリントンが奇妙な動物に満ち満ちた絵を描くのに対し、バロは不可思議な器具・機械・衣服・建築物といった人工物を描くことが多い。しかもそれは風力で動く装置を備えたコートであったり、衣服がそのまま船となっているものだったり、自動車そのものになった人間だか動物だかわからないものだったり、音楽を組み立てる道具だったりする。またキャリントンもそうだが、とりわけバロには錬金術的なモティーフが多い。湖となった不思議な森の奥にあって水を溢れ出させている聖杯。囚われた月に星を砕いて与える女。特別な八角形の塔とそれを指差す男。絶対的な音楽を創造しようとミューズの訪れを待つ作曲家。

壁や家具に忍び込む者たち。壁から現われてくる霊のようなもの、通り過ぎる塀から差し出される手。家具になりつつある女。窓から覗く顔の数々。中に小さく可憐なものへの愛の感じられる画もある。

キャリントンが古代の魔術ならバロは中世の魔術といったところかも知れない。ただしいずれにも近代的な何かへの否定の意識がうかがわれ、そのことが逆に近代人であることを証してもいる。

これらを見ながら、私は今でない時間を呼吸する。それは懐かしく、少し危うく不安だが、眠る直前のように心地よい。

13

差別の美的な配備

1 差別

『ゴシックハート』とそれに続く『ゴシックスピリット』を執筆中、最も意識させられたのは、たとえば聖なるものと邪悪の対立といった、ゴシックの世界を支える大きなテーマより、そうした世界観のもと常に栄光と悲惨の極端な乖離を夢見てしまう、我々自身のどうしようもない差別好きということだった。いや、ゴスを望む人が差別主義者だというのではない。ゴスに心傾ける人々はむしろ損なわれ差別される側の意識の方に肩入れし易いように思う。ただその人々の思い描く、非現実的な物語の成立条件として差別的状況が好んで用いられるという意味である。

他方、今や、いかに露悪的に語る人でも、社会全体が完全な階級制を採り、昔のインドでのようなカーストがすべての決定において優先される社会を幸せとは感じまい。むろん自分が最高カーストに属する保障を得てのことであれば賛成もするだろう、だが、たとえばその地位が大して高くもない立場にある者として、あらゆるところで差別が当然とされる社会と、少なくとも建前上では自由平等を旨とする社会とどちらに属したいかと問えば、ほとんどは後者を選ぶことになるだろう。

ところが物語的想像となると、ごく良識的な人であってさえ、その態度はまるで違う。

日常の細部を繊細に語るような小説・映像等とは別の方向、すなわちファンタジーの領域で、より空想的かつ大掛かりな物語を語ろうとする場合、採用され易いのは階級社会もしくは個以前の差別が優先される関係性である。

科学技術が発達の極みにある世界を舞台とした映画「スターウォーズ」は、いかにも古い王国的組織とそれを支える騎士団が、衆愚制と化した共和制によって成立した独裁組織と争う物語だった。そこでは出自の正しさと運命に選ばれた者の誇りが最も褒むべきものとして描かれていた。

さらにその先に、よりダークな色合いを帯びた物語が求められるとき、決まって現われるのは美的な悪という十九世紀末的表象である。

多くはその社会での地位の高さが前提とされやすいが、必ずしも制度による場合でなくてもよく、ひとでなしで邪悪だが魅力的な美男美女が、その邪悪さにもかかわらず他者から愛され優遇され続け、その一方で善良な人物が容姿や言動もしくは地位の悪さによって踏みつけにされて顧みられない、そんな物語の暴力こそ、ゴシックの意識を惹きつけやすいと思ったものである。

社会全体に仕組まれた差別の構造、人種差別、性差別、身障者差別、貧困者差別、容貌差別をはじめとして、限りなく光のあたる存在とどこまでも救われず忌まれ捨て去られる層との対比が、問答無用な無残として描かれるとき、それがいかに不条理で悪辣極まりない物語だとしても、ともすればその不条理と悪辣を歓迎しそうになる心の動きが、表現の悪質ゆえに価値を認めてしまいがちな何かが、ありはしないか。ならばそれをも私はゴシックハートと呼ぶ。

この志向の向かう先を正しいなどと思ったことはない。しかし心の傷のようにして残るそれらは、多く無慈悲さが美的に描かれた諸相と記憶される。現実の場で実現させればただ汚濁した絶望としかならない差別的思考が、ひとたび物語のために駆使されると き、必ず美的に配備されてしまう。あとはその技法の巧みさの度合いが誘惑の強さを決める。

2 ヴィクトリア

オスカー・ワイルドの『王女の誕生日』という童話は、森で健やかに暮らしていた小人があるとき、その国の王女の誕生日に余興として連れてこられる話である。小人は自分が、他者の前では「醜い」とされることを知らないため幸せにいた。宮廷で、自分を見て笑う王女は自分の仕草を喜んでいるのだと思い、愛らしい王女を愛し、さらに彼女を楽しませようと望む。だが王女はただ彼の無様さを嘲笑していたのだった。やがて彼は鏡に映る自らの容姿を見、その醜さを嗤われていたことを悟り、悲しみのあまり心臓が割れ、死ぬ。それを知った王女はあいかわらず愛らしく、しかしつまらなさそうに、次にここに来る人は心臓のない人にして、と言う。

それだけである。

小人を無理に連れてきた宮廷の家来たちにも、小人を嘲弄した王、王女たちにも何の罰も下らない。そもそも小人に死なねばならないような罪はなく、その容姿が他者から見て醜いと思われただけだ。それを嗤われる筋合いですらない。なんという惨憺たる童話だろう。これが正しい話であるわけはない、だが、ここには現実の、建前や綺麗ごとを剝ぎ取った、あるどうしようもない不都合な真実らしさがある。

途中、自らの醜さに気付かないまま上機嫌ではしゃぎまわる小人を見て、もっと悲しそうにしていればまだしも好意的に見る人もあるのに、という傍観者の声も記されていた。これは現在ネット上で見かけるある種の態度によく似ている。醜い者、差別された者は楽しそうに生きていてはならないという不遜な助言である。

現実といったものの端々にある、底意地の悪い視線、差別意識あるいは階級意識、弱者を踏みつけにすることを建前では否定しつつもどこかでそれを喜びかねないわが心の奥の情けなさ、そういった、人の心の救われなさを、この物語はあらわにしていないだろうか。千万回、間違っている、と告げても、人の心はこのような残忍な誤謬をどこかで発見してしまうし、それを忘れ難い何かとして記憶する。

愛らしい容姿を容易く愛する心は、厭わしい容姿の持ち主の人格を無視し、さしたる理由もなく侮蔑することも容易く行なうだろう。その没義道（もぎどう）をただ無視はできない、という段階で、われわれの内奥に、美的で華麗な虚偽への憧憬に伴うみすぼらしい正しさへの嫌悪を、間違っていると知りつつ認めてしまう嗜好の萌芽が、含まれている。

具体的な容姿の好みは実は千差万別だ。しかし一人の人にとって「美しい・好ましい」と感じられる容姿と「醜い・厭わしい」と感じられる容姿とは歴然としている。好悪を持たない人はないゆえ、差別の萌芽を持たない人もない。そして、「美しい人が」と記してあれば、あるいはその存在が美しいという了解さえあれば、個々の好悪に従い、その対象がプラスの価値を持ちつつ想像される。逆も同じである。その上で、美しい者が正しいことをする、という大方の支持する物語の裏に、美しい者が悪をなすことへの期待もまたひそむ。

ジョン・ポリドリ作の『吸血鬼』が、彼の主人であるバイロン卿の酷薄な所業を意識して書かれた、「美貌の悪魔が善良な他者を食い殺しつつ、滅びないまま終わる物語」であることはよく知られている。そして、現在に至っても、吸血鬼、というテーマにはしばしば、吸血鬼＝美貌の貴族もしくは富豪の一族、選ばれたエリートたち、人類に優越するミュータント、という図式が採用される。

このときさらに有効に用いられるのは十九世紀ヨーロッパ、特にイギリスはヴィクトリア朝（一八三七〜一九〇一）の階級制をモデルとした貴族と下僕の関係性と、その時代の建築・衣装、すなわち制度的様式と視覚的様式である。

そもそも吸血鬼とフランケンシュタインの怪物のそれに代表される、ゴシック・ロマンスから発生した衣装デザインはまず例外なく十九世紀、その貴族およびブルジョワのまとった礼服と、下層階級が身にした襤褸とをそのままコピーしている。初期のゴスロック系のバンドのメンバーたちがときにステージ上で見せた前時代的衣装は、たとえばベラ・ルゴシやクリストファー・リーが映画で演じた吸血鬼の身なりの模倣であり、またよりパンクな傾向の強い向きのロッカーたちが示したのは、あたかもボリス・カーロフ演ずるフランケンシュタインの怪物のそれのように破れ荒んだ、あるいは奇抜に壊れた衣装・メイクであった。

ゴシック・ロマンス自体をよく範とするつもりならばむしろその発生の時代、十八世紀の宮廷装束を意識してもよいのに、彼らは、ゴシックの名のもとに、十九世紀的衣装を選んだ。むろんそれは現実問題として十八世紀という時代に思い至るより前に、当時よく知られた怪奇映画の採用する衣装・時代を単純に「怪奇趣味の規範」とした結果に過ぎない。

しかし、その起源となった吸血鬼映画・フランケンシュタイン映画にシチュエーションとして用いられた十九世紀ヴィクトリア朝時代を再現することが、たとえば十八世紀の反古典主義としてのゴシック・ロマンスといった理念的了解より、さらにゴシックな荒野を見せつけたとは考えられないか。

社会の明暗をより極端に温存することを可能にした徹底的な欺瞞と偽善の支配、厳格なモラルの順守への圧力の強さに反比例するように裏で氾濫してゆくエロティックで暴力的なイマジネーション、構造的に生じた貧困の極みが作り出す暗黒街、そこで現実に起こる陰惨な連続殺人事件、富裕層と貧困層のまるで相容れない絶望的な差、階級差からなるあからさまな不平等、支配層の贅沢傲慢な栄光と被支配者に一切の余裕も許さぬ過酷な搾取、万国博覧会に示されるような目を驚かす科学技術の発達とその科学自体が合理の顔で抑圧し管理し呪縛する人の身体、等々。

十九世紀ヨーロッパ、とりわけイギリスの志向・風俗は、衣装・建築・社会制度・文化意識、いずれをとっても現在のゴスの直接のモデルである。今あるゴスの文化は、ヴィクトリア朝という差別社会の矛盾に満ちた闇の味わいを、民主的に修正しないまま延長した形とも言える。

ヴィクトリア朝文化という文化区分を仮定したとして、そこに私が最も特徴的と見るのは、たとえばホイジンガが『中世の秋』冒頭で伝えた末期中世のそれにも比すべき激しい光と影、栄光と悲惨の乖離のさまを、特有の偽善・欺瞞という手段を用いて近代のより美的な様式にすり替えた「差別美」の達成である。それは民主主義にとっては許せない抑圧の起源であるとともに、ロマン主義的表現者には尽きせぬ想像の源泉ともなった。十九世紀後半イギリスの貧富・階級による差別の大きさは、後も長く、生々しく具体的な感触として人の記憶に刻まれただろう。ヴィクトリア朝時代とは、栄光と悲惨がよりきわやかに想像される呪わしい憧れの時代となった。

敢えて社会史的な言い方をするならゴス・バンドの前段階と言えるパンクロックの発生も、そもそもはイギリスが前世紀から温存してきた階級社会の絶望が引き金ではなかったか。だが、そうして世界に唾を吐きかけたセックス・ピストルズのあとに続くロッカーたちが、その激怒、絶望、攻撃性、陰鬱さ、虚無性の表出に、より相応しい様式を求めてゆくうち、結局、前世紀イギリス階級社会の激怒、絶望、攻撃性、陰鬱さ、虚無性に辿り着き、それに響きあう表現が形成されたように見える。

こうしてその衣装、振る舞い、また一部歌詞の語彙は、英国前時代の階級制と差別とを激烈に憎みつつ、当の前時代が育てた古い、過度に装飾的な様式を主たる意匠として採用することにもなったのだ。ヴィヴィアン・ウェストウッドがヴィクトリア時代的なデザインを採用していることとひとつ取っても、ブリティッシュのパンクロック～ゴシッククロックの、ヴィクトリア朝文化への親和性が知れる。

なぜか？　それはヴィクトリア朝文化が、それを成立させている差別そのものへの嫌悪を忘れさせるほどに優れた様式美を作り上げていたからとしか私には思えない。その視覚的様式はさらに微妙にときに大胆に変奏されながら、現代日本のゴシックロリータにも引き継がれる。

差別者が汚く愚かなのであればただ憎むだけで済む。しかし、決して認め難い不平等と差別が最も魅力的な様式とともに描かれるという物語的誘惑を、完全に拒否できる人はどれだけいるだろう。

3　一九三〇年代日本、探偵小説

私見では日本の一九三〇年代前半、昭和初年都市部に隆盛した文学と芸術の世界にもヴィクトリア朝的な「差別美」が存在する。このとき差別社会の陰惨さと都市生活の美観とが背中あわせに描かれた。

当時、芸術としての文芸をめざす作家たちの内、旧来の私小説に批判的な、より若い世代には、多く都市という環境によって成立し、新奇と驚異、そして前時代との断絶を標榜する前衛芸術としてのモダニズムが望まれた。ここから新感覚派の横光利一、川端康成らが、また稲垣足穂が、尾崎翠が、北園克衛、北川冬彦、春山行夫、竹中郁、安西冬衛、左川ちか等のモダニズム詩人たちが、そして新興芸術派として「尖端芸術」を標榜した龍膽寺雄が、ときに鋭く、ときにスタイリッシュ、ときに異様、ときに暴力的に、詩想と奇想を、あるいは都市生活の瀟洒を描く。

これらは十九世紀であればその万国博覧会に展示された驚異の人工物への陶酔と期待、機械的製造技術の長足の進歩、急激な経済発展に伴う都市の発達、それらによる都会人の意識の変容の結果としての希望的な、明の部分に対応している。

モダニズム自体は二〇世紀初頭に花開くが、その前提となる進歩主義的発想はやはりヴィクトリア時代に見出されたものである。しかもその「都会の夢想」に限れば、それを育てたシティライフは、地方格差拡大の結果、都市だけが快適で、地方は地獄、という過酷な経済状況によって成立したものであり、これまた苛烈な格差のもたらした美観とも言える。事実、その矛盾と欺瞞に耐えられないモダニストたちはプロレタリア運動の方に賛同していった。

一方、たとえば同時期エロ・グロ・ナンセンスと呼ばれた世界、特にその猟奇的な犯罪小説の描き出す当時のダークサイドはほぼ現在のゴスと同じ色合いを持つ。これもまた、たとえば現在見るミュージカル「スウィーニー・トッド」や、「切り裂きジャック」伝説に描かれるロンドンの闇にも等しい、日本で再現されたヴィクトリア朝的な裏文化の一端である。

戦前とりわけ人気のあった探偵小説の多くが当時「変格」と呼ばれた怪奇小説、猟奇犯罪小説であったことは知られるとおり、その中心には江戸川乱歩の『蜘蛛男』『魔術師』をはじめとする通俗猟奇探偵小説がある。

乱歩の用いる視線は、たとえ貧者のそれである場合も、常に遊民の側に属し、その意味で、深刻な貧困と社会矛盾を直視しようとする意図はもとよりない。それらはいかに凄惨凶悪な場面を伝える場合にも最終的には中産階級都市生活者の夢想であり、興味本位に猟奇する自らはしかし良識と体制の側にあるとする欺瞞をも忘れない。

都市文学としての出自を考えるなら探偵小説もまたモダニズムと等しく、都市に発生してその光と闇の諸相を描いた点でモダニズム小説と探偵小説とは双生児のようなものだ。

さらにもうひとつ、それらの少し前から勃興し、先に告げたようにモダニズム文芸派をも凌駕し席捲しつつあったプロレタリア文学およびプロレタリア運動は、差別される側、無産労働者・使用人・奴隷の側からの表現行為と位置づけられるだろう。それゆえこちらの運動は、遊民の文学であるモダニズム、探偵小説と区別される。

しかしながら、荒俣宏が「プロレタリア文学はホラー小説である」(『プロレタリア文学はものすごい』より、平凡社新書二〇〇〇年)と告げたような視線を知るなら、その文学のいくつかを、ゴシック・ロマンスのひとつに数えられながら社会派推理小説の祖ともされるウィリアム・ゴドウィンの『ケイレブ・ウィリアムズ』に比すべき暗黒小説として読むことも可能となる。

つまり荒俣氏に従うならばプロレタリア文学もまた当時のダークサイドを描く意味で変格探偵小説と断絶したものではなく、かつまた、飽くまでも安全圏に立ちつつ暗闇を覗こうとする当時の探偵小説がさほどは描かなかった悲惨の核心部を労働者側の目から報告し補完したものと言えもする。また一方、モダニズムとも、その進歩主義的史観を共有する。

なお、当時の「大衆文学」の大半は剣豪小説等の時代ものをさしたという。これを歓迎したのは都会の読者に限るまい。そして時代小説と決まったわけではないものの、そうした都市限定でない、日本全国に通ずる「大衆文学」はいつの時代にも変わらずある。ゆえにそちらの世界は、『神州纐纈城』（国枝史郎）や『髑髏検校』（横溝正史）などの怪奇小説を除けばここで考えるところでなく、三〇年代前半期特有のものとして注目したいのはやはりモダニズム／探偵小説／プロレタリア文学が三脚となって支え上げる都市の光と影である。

だが歴史に明らかなとおり、戦前日本のモダニズムと探偵小説、そしてプロレタリア文学は、その後、戦争の進展とともに、いずれもまるで朝方の夢のように消え去る。

その後に来たのは、戦時非常体制という、最も非ヴィクトリア朝的なシステムだった。それは貧しく清く、すべてを分け合い、正しく愛国的で退廃を知らず常に懸命で誠実で疑いを知らない、偽善というものを認めない、そんな理念での全体一致をめざすものだった、少なくとも、だったはずだ。

むろん理念であり建前なのであって、いくらでも矛盾したことは行われていただろうし欺瞞も脈々と生きていただろう。というより実際には身分的格差が圧倒的で、しかも差別と憎悪はそれ以前の成金が遊んでいた頃より一層増大し、他人の自由への不寛容が極大にまで膨らんでいただろう。

とはいえ、「一般市民」の間では飽くまでも「贅沢は敵」であった。個人が驕ることを許さず、皆が平等に貧しく慎ましくあるべきとされた。こういう制度を否定したがった人々も多々あったが、少なくとも、全体主義は貧富や階級差による富裕層の華麗かつ酷薄な振る舞いを肯定しない。するとその結果として前衛芸術も猟奇も革命への期待も、居場所を奪われる。

どうもヴィクトリア朝的なものは全員が差別なく貧しく清くあらんことを求められる場では現われない。それは豪奢と貧窮を併置して交わらせない差別社会の様式だけを洗練してできたものだからだ。

4　一九六〇年代日本、前衛芸術

日本で、ゴス／ヴィクトリア朝的なものがさらにもう一度再演されたように私が感じるのは敗戦後一九六〇年代のアートである。

敗戦による全国的貧窮がようやく去り、五五年体制と言われるそれのもたらした経済発展の本格化とともにそこに付随する進歩主義的発想が主流となり、実情では犯罪と深刻な矛盾の多発する中にも生活意識としては基本的に楽観主義が多く見られた、とそんなふうに私自身は記憶する。

なおまたその頃、地方在住であった私には全く触れ得ないものではあったが、大都市では学生運動という、何やら非常な混乱が起きていたものらしいと後になって知った。

六〇年代ゴスの起源、としてもう何度となく（註：『ゴシックスピリット』ほか）その名をあげた倉橋由美子の小説『聖少女』が、今回思い返せばきわめてヴィクトリア朝文化的な小説とも言えることに気づく。それはこの小説全体が、一貫して積極的に「差別美」を構築しようとしているように読めることが理由と思う。

だが、六〇年代は差別の時代というよりはむしろ既定の差別的制度に異議を申し立て、いつかは差別が撤廃されるべきと考えることが当然視されていた時代と私には認識されている。

そこにある不平等と矛盾は、固定した差別の実在というより、未だ差別的なものから逃れ得ない過渡期的混乱の結果というニュアンスでとらえられていたし、原則としての民主主義・自由平等が疑われることも稀だった。しかし、だからこそ、野蛮（ゴシック）な意識はその太平楽で自覚の低い自己満足的な市民的良識とやらを徹底して罵倒し攻撃しときに高みから冷笑する、という挙に出もしたのだ。

特に現在から見るなら到底それを正当とは言い得ない『聖少女』の階級差別的言説の数々も、そうした暗く攻撃的な物語に不可欠な、必然のものである。同じ「小市民的なもの」への軽蔑・反発が当時、澁澤龍彥の著作をはじめとする「異端」といったカテゴリーを浮上させたし、また、寺山修司らのアングラ芝居は六〇年代以後も一貫して「市民を挑発」した。

しかしそうした道筋を今更ひとつひとつ辿り直すつもりはない。その種の文化を知る術は既に多数ある。ここではやや異なる局面に注目しておこう。

当時幼年ながらともあれその頃の空気を知るつもりの私にとって、ひとつ確かに思えるのは、六〇年代日本の日常生活には民主主義と自由平等への疑いのなさが今（二〇二二年）よりも確信を持って幅広くあり、それを延長する手段としての左翼的言動にも緩やかな正当性を見がちな気分があったことだ。自分たちは「資本主義陣営」に属すとしながら、多くの人々の基本的な姿勢は社会主義的あるいは社会主義肯定的であった。

そのため、そこに現在ゴシックの眼から注目される表現の数々は決まってそうした社会主義的な民主自由平等に敵対し、徹底した差別美を求めたものばかりと見えること、つまり、既に否定されたはずのヴィクトリア朝文化的な構造を望む反動的意識の成したものと思われることだ。

フランス五月革命の年である一九六八年に頂点を極め、その後はゆっくりと後退する、ある固定観念があった。世界は左翼的発想による社会変革の方向に向かっていてそれはもう止められない、というのが、当時の日本人の大方の見通しであったように思う。そのことの受容は知識人・大学生にとどまらず、たとえ賛同はしていなくとも、地方の自営業者にもうっすらと、あるいは仕方なしに、認められていたことではないだろうか。あからさまな「アカ」の支配は困るが、しかし、「民主的」であること、そのための「体制批判」「帝国主義批判」は肯定する。そして、いずれ既得権者の横暴を認めないような弱者救済の方向に世界は向かうだろう、と、思えば二〇二二年現在とは見事に正反対の、そうした、ある歴史の必然（の幻影）が信じられていた。

これはつまり、世界全体が左翼的な改革によってあらたな「修正全体主義」とでもいうべきものに向かっているという認識なのである。それは戦時中のような国家主義にはよらないが、仮定される「世界共和主義」という全体主義にもとづき、貧しい側に合わせ、富を分け合い、欺瞞と差別を排除し、誠実と調和と平等をめざす方向性を肯定する、という了解、資本主義陣営各国さえ少なくともそのような改革を必要悪として認めざるをえまい、という受け取り方だった。

突出した富豪とそれ以外の極貧者というシステムよりはその種の全体主義のほうがま

だしもましであるという判断は現在もあるはずだ。だが過激な表現の実践に心奪われる意識にとっては違う。六〇年代、左翼革命によって得られるかもしれない「今より少しはましな暮らしの可能性」よりも「表現される栄光と悲惨の激烈さ」の方に惹かれるアーティストたちがいた。その志向は当人らの自認する政治的心情とも別であり（三島・倉橋はともかく、実のところ、「前衛」に向かう彼らも多くは「左翼」「リベラル」のつもりなのだった）、ときに矛盾し、あとはただ全体主義的香りへのやみくもな嫌悪の強さが、彼らに差別美の洗練を促した。

これは、二〇二二年現在（註：この文が発表されたのは二〇〇八年だが、これを二〇二二年としても大きくは違わないと筆者は考える）とは異なり、好むと好まざるとにかかわらず「左翼的歴史観を是とする一方向に世界が向かっている」という錯覚が日本全体を覆っていた中、その状況判断を疑いはしないまま、ただ嫌悪し反発したということだ。

様式美を愛する作家たちは、何より貧しげな平等を厭うた。この嫌悪の強さが彼らに、「敢えて悪に接近する」という自覚を持たせ、たびたび自らの位置を「反時代的」と言わせた。ただ、それは当時の文脈を見ないと今ではやや納得しにくい語となっている。世界全体の流れとしての「民主平等」を善とすればそれに逆らおうとする「栄光と悲惨を描きたがる意識」は悪とされ反時代的とされるという意味だ。そしてこの否定の意志が現ゴスの起源である。

その種の「反時代的耽美主義」が、主に文学の世界では三島由紀夫を中心に立ち上がり、そしてちょうど六〇年代最後の年（「六〇年代」と言う場合、厳密には一九六一年から一九七〇年までをさす）、当の三島由紀夫が自死することによって崩壊した。そして私にとって常に興味の向かう六〇年代とは、この三島的差別アートの記憶ばかりである。

5　現在

さらに二〇〇一年以後、それへの肯定否定は別にして、まるで六〇年代的世界観を反転させたような、つまり、より一層差別的な方向に世界は向かっていてそれはもはや止められない、という認識が主流となった。ゆえに今（二〇二二年）はむしろ、一九三〇年代のそれに近い様相でヴィクトリア朝的な差別美が再び、ただし全く新たなジャンル・形式で、成立してもおかしくない。それに直面し、その不正な魅力にどう反応するかは今を生きるわれわれ自身の判断に委ねられる。

差別を糾弾することなど誰にでもできる。そうではなく、敢えて最悪の、差別の美しさ甘美さ、その忘れ難さを、アーティストたちは存分に見せつけてやればよい。アートの本当の意義は、前に立つわれわれ自身が、決してその外側にいるのでないと知らせることだ。

ただ非難して終えてしまえるような問題はもともと本質的なものではない。自らそれに惹かれ、その汚れた喜びに我を忘れてしまうような極悪だけを見せつけよ。

上品かつブルジョワ左翼的でリベラルらしさを装う態度がいかに世界に無力か、美的様式に向けて人の意識は、「いや、これは別」という言い訳のもと、どれだけ容易く「ずる」を行なうか、それを我がこととして意識もしない者たちを私は許さない。

エピローグ

ゴシックな記憶

その女性は西洋哲学に通じており、広範な読書家であった。特に幻想文学と魔術に関する書を愛した。

怪獣に関する趣味もあり、数々の哲学書・幻想文学書・魔術書とともに怪獣図鑑のたぐいも何冊か所持していた。またクトゥルー神話の邪神をモデルとした（けっこう愛らしい）縫いぐるみをいくつか部屋に置いていた。

その人は澁澤龍彥の著作に代表されるようなエロティシズムの論理を常に志向していた。あるときポーリーヌ・レアージュの『O嬢の物語』を最も好ましいポルノグラフィーのひとつとして私に語った。第10章で告げた、『O嬢の物語』を空想的な理想成就の書としていた女性とはこの人である。

ミルボーの『責苦の庭』を好むような残酷趣味もあり、また蜈蚣(むかで)Melibeによる『バージェスの乙女たち』という凄惨な身体改変漫画を深く愛してもいたが、それらはサディスティックな欲望からではない。自分はマゾヒストであると言った。ただし、単純に男性に支配されたいのではない、とも。

VIVIENNE TAM、MORGANといった衣装を好み、ゴシック・ロリータをも愛した。それらの似合う容姿であったと思う。話せば非常に聡明だったが、単に知的に優れているだけでは満足しないことがその容姿への注意深い管理から見て取れた。

こうした趣味と志向はほぼ典型的なゴシックと呼んでさしつかえないだろう。

ゴシックな意識のその人は、しかし、自らがこの世界にどのように需要されているかもよく認識しており、パブリックな場では常に愛想のよい、適度にエキセントリックな若い女性を演じることを忘れなかった。だがその気になれば男性たちの欲望的視線と歴史的優位を指摘し批判することは容易いのだった。

初めて話したときその人は私の『少女領域』を既に読んだと告げ、またしばらく後、私が秋里光彦という別名で発表した小説『闇の司』についての感想も話してくれた。『闇の司』には、女性の身体に何本もの死体の手足を縫い付けるという処刑方法が描かれている。その人はこの場面が最も気に入ったと言った。

知り合って間もない頃、その人は、貞操帯に関する独特の見解を語った。貞操帯はもともとは妻の不倫を防止するための男性による強制装着物だが、その人によれば、これを女性が自らの意志で身につけるとき、決して犯すことのできない身体を構成する。つまりそれは、女性が身体を自己管理するための器具となる。しかもそれは意識による身体管理方法としてのサイボーグ化である。

その人は意識と身体の区別、そして意識による身体の徹底管理を望んでいたようである。

もうひとつ、顕著な傾向は人形への愛好だった。ただこれも、愛でる対象としてというよりは、想像上で自らが人形となることを究極の願望としていたことの表われのように思われる。マゾヒストとしてのセクシュアリティの自覚がそうさせたとおぼしく、女性がオブジェとされてゆく過程を描く『O嬢の物語』への傾倒もそこからきたものだろう。

このようにその人は自らをマゾヒストと言い、玩具のような存在となる夢想をたびたび語ったが、一方で、意識主体の絶対優位をも望んでいた。そちらの認識によれば望まない他者に身体と意識を蹂躙されることを一貫して憎んでおり、その回避の手段のひとつが貞操帯なのだった。

完全なサイボーグが実現していれば、その人はためらうことなく身体改造を施しただろう。主体である意識として客体である身体を出来る限り自在にしようとしただろう。

あるとき私は小さな朗読会に出演し、そこで『闇の司』の一節とともに、表現上の甘美さが内容の度し難い差別や悪を覆い隠してしまう場合について書いた随筆の一部を読んだ。その人が来ており、朗読が終った後、書かれている文章の意味に反対であっても表現の魅力によって説得されてしまうことはあるか、と尋ねた。

私は、それはある、ただしかし、十分に知的な主体はそれだけで納得はできないことも意識するだろう、と答えた。

その人は、現在若い女性が現状の欲望のシステムに奉仕することになる構造を常々意識しており、それへの強い抵抗を示していたが、同時に、そうした欲望によって成立した物語や映像・アートのいくつかが自分にとってひどく魅力的であることをも自覚していた。朗読会のおりの問いは、意識主体とその主体性に反する表現の魅惑との解決できない対立を告げたものと私は考えている。

その人は明晰な意識的思索者としての主体性と、客体性をめざす自己のセクシュアリティとによって引き裂かれていた。

意識は知的意識的であればあるほど主体性を志向する。だが、マゾヒスティックな自己を作りあげることへの願望は完全な客体を志向する。

人形は客体の極致である。それに対し、決定主体であろうとすることは、客体性という無垢を否定することであり、決定という偏差、いわば汚れを引き受けるということだ。完全に意識的な主体であってかつ無垢な客体である状態をその人は望んでいたことになる。西洋哲学の主体・客体の認識をよくわきまえていたその人であれば、自己が不可能を望んでいることはわかっていたはずだ。

この世界に生物の一変種である人間として生を営むことはその人にとって、全く飽き足りないことだったのだ。

今その人はいない。

その人が以前からネット上に公開していた日記に、ある日、自分は自分の意志で自殺する、という内容が記され、それが最後の言葉となった。

　私にはその人の自殺はどこか三島由紀夫のそれのような気がしてならない。意識と身体の相克。主体と客体の同時認識への願望。不可能なものばかり欲する心。強烈な自尊心。高度な知的能力。現状の存在すべてへの愛想尽かしと否定。

　とはいえ、自ら死を選んだ人の心をわかったような顔で語るほど愚かで侮辱的なことはあるまい。残念であることは言うまでもないが、自殺の是非も語る気はない。私はただその記憶をここに記すのみである。

単行本版あとがき

本書は『無垢の力――〈少年〉表象文学論』（講談社二〇〇三）刊行後、全編書き下ろされた。

ただしここに記した言葉は、十数年にわたり、時と場に応じて示してきた思考をもとにしている。長い間私はこんなことを考えてきた。

それは個々には「異形」であったり「両性具有」であったり「幻想」であったりしたが、「ゴシック」という語を用いることで一挙に一冊とすることができた。

私にとって評論とは一人の思考者の思考の経過を報告することである。今回心がけたのは別々の場所から少しずつ伸び拡がり、あるところで相互に連結し支えあうゴシック建築のような思考の動きだ。

ゴシック・ロマンスが誕生した十八世紀は啓蒙主義の時代で、おそらくは、「話せばわかる・知識を得れば誰でも同じ価値を共有できる・全人類は調和しうる」と主張した当時の知識人の楽観主義に反発を覚えた層が「これを見ろ」とばかりに投げつけたのが暗く野蛮な、残酷で怪奇な物語だったに違いない。

既にこのときからゴシックの拠って立つ場所は明らかだったのだ。

私は最近何度か、政治的な正誤について発言する機会があり、そのような場面では人間として市民として間違ったことと不公正なことは言いたくないと思っているが、しかしこの評論は政治的正しさのために書かれたのではない。

ゴシックな発想・感じ方・考え方にはいわゆる正しさや公平さに添わない部分がある。一方、欲望・憧憬・怖れといった心の動きにはどこまでも忠実である。欺瞞を嫌う。正統や正義や平等意識に自己同一化することはない。その立場はどちらかと言えば悪者のそれに近い。

ゴシックの側からは、最悪のもの暗いものを見ないようにしていつもあたりさわりない多数派でいようとする人々の軽薄な安心感が許せない。「これを見ろ」と惨憺たる事実やもの、物語や絵を投げつけたくなる。

このようにゴシックとは飽くまでもマイナーな意識なのだ。と思っていたら、いつの間にか現在、あらゆるメディアでゴシックなものが愛されている。いや、ゴシックについては「愛される」という言い方は正しくない。それは愛らしいものではなく、撫でられるため素直に頭を差し出す種類の表象ではない。それは人に突然の衝撃と驚きを与え、かつ、度はずれた何かの可能性をほのめかす。そこに確かに何かあると感じた人はゴシックな想像から離れられなくなる。半ば無意識の命ずるままに人はゴシック者となる。よって、魅惑される、魅了されると言おう。至るところでゴシックな映像、物語、オブジェが私たちを惹きつけようとしている。

二〇〇四年七月七日　　　　　高原英理

立東舎文庫版あとがき

『ゴシックハート』は二〇〇四年、講談社から刊行された。「ダ・ヴィンチ」誌で特集され、半年後に増刷、その後も版を重ねる、など、私としてはかなり成功した著作と言える。それもあってか、二〇〇五年、「読売新聞」読書欄の「評判記」というコラムを依頼され、ほぼ月一回ずつ一年ほど連載した。そこで一度、「現代のゴシック文学」を紹介した回があって、その書き出しが以下である。

一九八〇年代東京には「どこかで楽しいパーティが開かれている」という感触があったが、九〇年代以後「どこかで人が死んでいる」という感じになった。これを私はゴシックな感じ方と呼ぶ。現在はゴシックな時代である。

この感触は二〇一六年現在（このあとがきを書いている時期）も変わっていない。すなわち、十二年後の今も本書の内容に変更の必要はない。否、本書の場合、仮に時代遅れになろうとも、時流に合わせて書き換えられねばならない種類の書物ではもともとない。

それで今回文庫化するにあたって心がけたのは、正確を期しての語句や用語の訂正、註記、表現の厳密化だけである。

本書で言及した文学・漫画・絵画等々もまた、時間の経過に関係なく、ゴシックという発想にとっての重要なモティーフであり続けている。それらを知った上で、ゴシックという思考の展開を読んでいただくことが本書の望むところである。紹介と解説はできるだけ丁寧にしたつもりだが、といって紹介と解説自体が目的なのではない。また、本書は網羅的カタログをめざしているものでもない。たまたまここに見出された作品をきっかけとして、ともに感じ考えていただきたいのだ。

その選択の理念については、同じ姿勢で書かれた本書の続編『ゴシックスピリット』のあとがきで以下のように記した。


本書で思考の動機とした文学作品映像作品等にはよく知られたものもあればあまり知られていないものもあるが、よく知られているからといって「今更取りあげる必要はない」とか「もっと新しいものを教えろ」とかいう意見があるとすればとても残念なことだ。

好きなものは誰が知っていようが新しかろうが古かろうが何度でも何度でも愛し語り続けるべきである。私はそうしたい。逆に「今これを紹介しておけばいかにも最前線にいると思われるから」という理由から真に好きでもない何かに言及するとしたらそれこそ最もゴシックの心から遠い。

もともとゴシックは流行や時代精神への批判であり、好悪のフィルターを通さないままやみくもに新しさにとびつこうとする安易さ卑俗さを否定するものである。また、無理をしてバランスのよさをめざさず偏奇なまま、善悪や利害よりも好悪に忠実であることがゴシックの条件であったはずだ。

大切なことは本当にそれを語りたいか否かであって、ある主題を語れば受けるから、とか、今の内なら新鮮だから、といった思惑による言葉は一切拒絶したい。また「本当はたいしてよいとは思わないが、今の状況ではこれに価値があるとしておくのが戦略的に有利だからそう言っておく」といった、現状蔑視から始まるシニシズムもゴスの敵である。嫌いを嫌い、好きを好きと言えないで、状況を読む巧みさばかり見せつけ、それによって自らの賢さを誇ろうとする奴等に呪いあれ。

上梓された当時、本書は孤独だったが、幸い、その後、小谷真理の『テクノゴシック』（ホーム社二〇〇五）、樋口ヒロユキの『死想の血統――ゴシック・ロリータの系譜学』（冬弓舎二〇〇七）が刊行され、ようやく、ゴシックという文化を現代の、われわれのものとして多方面から考える基礎ができた。本書に飽き足りなかった方も続けてこの二著をお読みになれば渇を癒せることだろう。

なお前述の『ゴシックスピリット』は二〇〇七年に朝日新聞社から刊行された。

これらはいずれも理論の書だったが、二〇一四年、新たに実践の書とすべく、ちくま文庫からアンソロジー『リテラリーゴシック・イン・ジャパン　文学的ゴシック作品選』を編集刊行した。その主旨は該当書の序文「リテラリーゴシック宣言」をご覧いただきたいが、ここで私はいわば原典としての「ゴシック・ロマンス」そのものの継承とは異なる、現代日本のゴシックな感受性というものを仮定し、それによって近代日本文学からゴシックな名作と思えるものを選んでいる。この点にもまた同意も批判もあるだろう、ともかくご興味をお持ちいただけるならそれでよい。

以上の五著作が今のところ、現代のゴシックを考えるにあたっての基礎的文献ということになる。更に、エピローグに記した女性の残した日記が、二階堂奥歯の著者名、『八本脚の蝶』という題で公刊された（ポプラ社二〇〇六）。日記であるからゴシック・カルチャーの探求だけに特化したものではないが、ゴスの思考を辿ろうとするならこちらも一読の価値がある。

こうした書物群の発端にあって、夜の国への旅の始まりを告げる『ゴシックハート』

を今回、より手に入れやすい形で再刊行できたのは幸運なことだ。特に装画をいただいた劇団イヌカレーさん、解説をいただいた浜崎容子さん、編集いただいた切刀匠さんには特別の御礼を申し上げる次第です。ありがとうございました。

二〇一六年九月三〇日

高原英理

ちくま文庫版あとがき

講談社版『ゴシックハート』は五刷まで増刷された。当時「ゴスがゴスリとは縁起が良い」と言ってくださった方がおられたことが思い出される。

その後しばらく絶版となったが、二〇一七年に立東舎文庫として再刊された。だがこの文庫レーベル事業自体が二〇二〇年以後中止となり、それに伴い文庫版『ゴシックハート』も再び絶版となった。

そして今回、筑摩書房の砂金（いさご）有美（ゆみ）さんにお手伝いいただき、ちくま文庫の一冊に加えていただくこととなった。

既に記しているとおり時流に合わせようとする意図はないからこれまで同様、本文は、現在の自分として訂正したいと感じたごく一部の字句、および見落としていた情報の訂正以外、立東舎文庫版と変わっていないが、初版から十八年を経ていることもあり、既に分かりにくくなった項目については註と補足を増やし、現在に接続できることを心掛けた。

また、もと十二章＋エピローグであったところに「差別の美的な配備」（二〇〇八年ステュディオ・パラボリカ刊『yaso 夜想――特集＃ヴィクトリアン』に掲載）をもう一章として加え、全十三章＋エピローグとした。

現在「ゴス」「ゴシック」と呼ばれる文化について、二〇〇八年まで私が考えてみたことが本書には記されている。だがそれは私という一人の者の思考の記録でしかなくて、他に考えうることはいくらでもある。

よって、これも『ゴシックスピリット』の末尾に記したことだが、

私がゴシックと呼ぶような世界について、それを求める心があり、かつ、私のように考えない人、飽き足りない人は是非自分独自のゴシックを追求してほしい。そしてあなた自身のゴシックを作りあげて欲しい。

ということである。

また、以上とは別に、今回新たに加えておきたい件を記す。

本書初版が書かれた頃、ゴシック・ロマンス、ゴシック小説、およびヨーロッパでのゴシック文化の主に過去の展開（ただし中世建築・中世美術に関する著作は除く）につ

いて日本語で読める研究・批評にはおよそ以下のような書目があった。

紀田順一郎 編／紀田順一郎・深田甫・麻原雄・荒俣宏・秋山和夫 著『出口なき迷宮——反近代のロマン〈ゴシック〉』（牧神社一九七五）
エディス・バークヘッド 著／安藤泉・内田正子・鈴木英夫・高田康成・高橋和久・富山太佳夫・永山光子・橋本槇矩・盛田由紀子・横井和子 訳『恐怖小説史』（牧神社一九七八）
野島秀勝・高山宏・鈴木博之・井出弘之・八木敏雄・志村正雄・石川實・私市保彦・沼野充義・竹山博英・木村榮一・高田衛・小池滋・富山太佳夫・ジャン・B・ゴードン（志村正雄訳）・篠田知和基・山野浩一・池内紀 著『城と眩暈——ゴシックを読む』（国書刊行会一九八二）
日夏耿之介 著『サバト恠異帖』（国書刊行会一九八七）
八木敏雄 著『アメリカン・ゴシックの水脈』（研究社出版一九九二）
吉村純司 著『ゴシック・ロマンスの世界』（文化書房博文社一九九六）
小池滋 著『ゴシック小説をよむ』（岩波書店一九九九）
杉山洋子・長尾知子・惣谷美智子・神崎ゆかり・小山明子・比名和子 著『古典ゴシック小説を読む——ウォルポールからホッグまで』（英宝社二〇〇〇）

クリス・ブルックス 著／鈴木博之・豊口真衣子 訳『ゴシック・リヴァイヴァル』（岩波書店二〇〇三）
マイケル・ルーイス 著／粟野修司 訳『ゴシック・リバイバル』（英宝社二〇〇四）

『ゴシックハート』初版刊行以後二〇二二年までに刊行された関連研究書は以下。不備があればご教示願いたい。

ケネス・クラーク 著／近藤存志 訳『ゴシック・リヴァイヴァル』（白水社二〇〇五）
ドナルド・A・リンジ 著／古宮照雄・谷岡朗・小澤健志・小泉和弘 訳『アメリカ・ゴシック小説――19世紀小説における想像力と理性』（松柏社二〇〇五）
亀井伸治 著『ドイツのゴシック小説』（彩流社二〇〇九）
マリー・マルヴィ・ロバーツ 編／金崎茂樹・神崎ゆかり・菅田浩一・杉山洋子・長尾知子・比名和子 訳『増補改訂版ゴシック入門』（英宝社二〇一二）
坂本光 著『英国ゴシック小説の系譜――「フランケンシュタイン」からワイルドまで』（慶應義塾大学出版会二〇一三）
デイヴィッド・パンター 著／石月正伸・古宮照雄・鈴木孝・高島真理子・谷岡朗・安田比呂志 訳『恐怖の文学――その社会的・心理的考察1765年から1872年まで

の英米ゴシック文学の歴史』（松柏社二〇一六）
デヴェンドラ・P・ヴァーマ 著／大場厚志・古宮照雄・鈴木孝・谷岡朗・中村栄造 訳『ゴシックの炎――イギリスにおけるゴシック小説の歴史　その起源、開花、崩壊と影響の残滓』（松柏社二〇一八）
武田悠一 編／武田悠一・中村栄造・中山麻衣子・山﨑僚子・大場厚志・岩塚さおり・武田尚子・武田美保子・小西章典・大木ひろみ・蟹江弘子・山田幸代・小西真弓・石塚倫子 著『ゴシックの享楽――文化・アダプテーション・文学』（彩流社二〇二一）
※　右はゴシック・ロマンスに関する研究と現代英語圏の映像およびゴス・カルチャーに関する研究が混在している。

さらにゴシック文学に関する批評のアンソロジーとして次がある。

東雅夫 編／江戸川乱歩・小泉八雲（平井呈一訳）・種村季弘・紀田順一郎・澁澤龍彦・塚本邦雄・日夏耿之介・八木敏雄・富士川義之・平井呈一・野町二・前田愛・高原英理 著『ゴシック文学入門』（ちくま文庫二〇二〇）

これらが、一部の例外を除き、飽くまでもゴシック・ロマンス、ゴシック文学、あるいは欧米の「ゴシックな事物」に関する紹介と研究・批評であるのに対し、当『ゴシックハート』はそうした経緯を前提としながら、現代日本の文化の中の何かをゴシックと名づけることで新たな精神の在り方を見出そうとした書である。いわば文化評論の書であって、ゴシック・ロマンスの研究書なのではない。

曖昧でなんと言い表してよいのか難しいが、現代日本に確かにある、海彼（かいひ）のゴシック・ロマンスから多々影響を受け、数々の変遷を経て成った、ある感じ方、それを私は〈ゴシックハート〉と名づけた。だがその定義が難しかったため、以下のような例の列挙で示した。

色ならば黒。時間なら夜か夕暮れ。場所は文字どおりゴシック建築の中か、それに準ずるような荒涼感と薄暗さを持つ廃墟や古い建築物のあるところ。現代より過去。ヨーロッパの中世。古めかしい装い。温かみより冷たさ。怪物・異形・異端・悪・苦痛・死の表現。損なわれたものや損なわれた身体。身体の改変・変容。物語として描かれる場合には暴力と惨劇。怪奇と恐怖。猟奇的なもの。頽廃的なもの。あるいは一転して無垢なものへの憧憬。その表現としての人形。少女趣味。様式美の尊重。両性具有、天使、悪魔など、西洋由来の神秘的イメージ。驚異。崇高さへの傾倒。終末観。装飾的・儀式的・呪術的なしぐさや振る舞い。夢と幻想への耽溺。

別世界の夢想。アンチ・キリスト。アンチ・ヒューマン。

（本書10ページから）

今も私には同様の言い方でしかそれを示すことはできない。このような形で現代のゴシックという精神をかろうじて可視化しようとしたのは本書が最初であると私は考えるがいかがだろう。ともあれ、この列挙から〈ゴシックハート〉は始まった。

その後、本書同様、現代日本に展開するゴシックという思考・文化を手探りで探ろうとする書が一冊、一冊と増えていった。自著とともにあげてみると私の知るところ二〇二二年現在、以下の六冊がそれである。

高原英理『ゴシックハート』（講談社二〇〇四）
小谷真理『テクノゴシック』（ホーム社二〇〇五）
樋口ヒロユキ『死想の血統――ゴシック・ロリータの系譜学』（冬弓舎二〇〇七）
高原英理『ゴシックスピリット』（朝日新聞社二〇〇七）
後藤護『ゴシック・カルチャー入門』（Pヴァイン二〇一九）
唐戸信嘉『ゴシックの解剖――暗黒の美学』（青土社二〇二〇）

※　前半の四冊は立東舎文庫版『ゴシックハート』のあとがきでも記したが、『ゴシック・カルチ

ャー入門』『ゴシックの解剖――暗黒の美学』はその後に刊行されたもので、今回新たにリストに加えた。いずれも前四冊同様、現代文化としての「ゴシックなるもの」について考えるには有効な優れた著作である。

こうしてみると、「ゴシック・イン・ジャパン」とでも言うべき、現代日本にありながら西洋由来のゴシックという語を動機とする批評が新たな言論の系譜を作りつつあるように見えてくる。するとこうも考えるのだ、未だ権威の後ろ盾がなく成長の途上にある言表群というのはいつ埋もれ消滅してもおかしくない。見落とされたり無視されたりすることのないよう、機会あるごとに周知を図っておくことも必要ではないか。

こんなことを言い出すのは、先行する関連著作についてできる限りの参照を志すはずの学問の場で、当然記載すべき文献さえ明記していない例がしばしばあることを私が知るからである。研究対象が広く知られ尊重されている分野ではあまり見ないが、ひとたび新興となると、さまざまな思惑による恣意的な黙殺が発生しやすい。

この先、欧米のゴシック・ロマンスもしくはゴシック小説それ自体の研究とは区別された、現代日本の文化・精神の一端としての「ゴシック」に関する学術的著述を目指す方が、より筋の通った姿勢をとろうとするのであれば、二〇二二年現在、まずは右六書を参照していただきたいと思う。最小限このくらいの知識・見解の記録は共有しておこうではないかという意味である。

　一方、日本の、ではないが海外・現代の「ゴス・カルチャー」に関する批評の翻訳には以下があった。

キャサリン・スプーナー　著／風間賢二　訳『コンテンポラリー・ゴシック』（水声社二〇一八）

　研究史が長く既に方法の確立された対象のそれに比べれば、これらはまるで大した文献数ではない。特に、著述家・研究者を自認する人がこの程度の数少ない先行研究にもあたらないとすれば怠慢であり、またもし何らかの理由から知った上で無視するとすればきわめて不誠実である。

　なお、そうしたいわば研究史的記述を義務付けられた場合でなければ、参照の有無は問われないし、これまでどおり、思うところを自由気ままに語っていただければよいのは言うまでもない。ただしそういう中でも、先人が公開した見解と表現を借りる場合にはアカデミックな場と同様、原著者名の明記を忘れてはならないという当然のことを改めて確認するだけである。

このさいこれも記しておこう。『ゴシックスピリット』についての感想だったと思うが、そこでの、できるだけ記述の厳密さを意識して条件節を付した表現に対して、「最近読んだ元新聞記者によるノンフィクションの書き方と違って余計な所が多い」というように書いている人がいた。これはしかし、何か読むべきものを間違えておられるように思う。それなら元新聞記者によるノンフィクションのような書を読んでいればよいではないか。そうした場にゴシックの思考は見出されないかも知れないが、そもそも立ち止まり振り返りつつ時間をかけて手探りで考えてみようという姿勢に敵対的な「手っ取り早く要旨だけ書け」という発想の人に「ゴシックの思考」など無用である。

あまりにシャープな題名の本は売れないという話を聞いたことがある。『ゴシックハート』という題名は、やや気恥ずかしさを自覚しつつ、その伝で敢えて決めたものだった。案の定、私の著作の中では最もよく売れ、読まれ、今回二度目の文庫化、通算三度目の刊行となった。この題名には、真摯な求道の意志は認められるものの、他者から見るとどこかちょっと抜けている、といったヘマな愛らしさがあるように思う。

本書は批評的エッセイといったものだが、これまでのところ、「ネガティヴであることを恥じず、むしろ誇りつつ生きる方法」の指南書として読まれることが多かったように思われる。「シャープ」な現代思想らしい言い方もなく、言わば家内制手工業のように地道に身に合う言葉を重ねてきたことが、読者個々にとっての思考ツールとしての読み方を可能にしたのだろう。「こういうふうに言ってほしかった」という感想を受け取る機会が何度もあった。すなわち大向こうを意識して高度で切れのよい批評的飛躍を誇示するような営為からは遠い。結局自分は批評家であるより先に小説家だったのだなと思わされたきっかけは本書の執筆にあった。

こうした理由からか「批評プロパー勢」には概ね無視されてきた。だが十八年生き延びてきた著作であれば、そろそろ人文書・文芸書のロングセラーとして記憶していただいてもよいかと思う。

最後に、編集の砂金有美さん、そしてブックデザインをいただいた水戸部功さんに深く御礼申し上げる次第です。

二〇二二年五月二一日

高原英理

本書は二〇〇四年に講談社より単行本として、二〇一七年に立東舎文庫として刊行された作品に加筆修正・増補をしたものです。

荒俣宏『プロレタリア文学はものすごい』（平凡社新書）平凡社　2000
ウィリアム・ゴドウィン 著／岡照雄 訳『ケイレブ・ウィリアムズ』（ゴシック叢書 18）国書刊行会　1982
鶴見俊輔『戦後日本の大衆文化史　1945～1980年』（岩波現代文庫）岩波書店　2001
塩田潮『昭和30年代――「奇跡」と呼ばれた時代の開拓者たち』（平凡社新書）平凡社　2007
宝島編集部 編『1960年大百科――東京タワーからビートルズまで』（宝島コレクション）JICC出版局　1991
河出書房新社編集部 編『澁澤龍彥をめぐるエッセイ集成』（1）（2）河出書房新社　1998
加藤郁乎『後方見聞録』（学研M文庫）学研プラス　2001
嵐山光三郎『口笛の歌が聴こえる』新潮社　1985
寺山修司『現代の青春論：家族たち・けだものたち』三一書房　1963
寺山修司『書を捨てよ、町へ出よう』芳賀書店　1967
『倉橋由美子全作品』第5巻「聖少女 亜依子たち 結婚」新潮社　1976
『三島由紀夫全集』第30巻　新潮社　1975

エピローグ

蜈蚣Melibe『バージェスの乙女たち ワイワクシアの章』三和出版　1997
蜈蚣Melibe『バージェスの乙女たち アノマロカリスの章』三和出版　1999
秋里光彦『闇の司』（ハルキ・ホラー文庫）角川春樹事務所　2001

ヨハン・ホイジンガ 著／堀米庸三 編纂／堀越孝一 訳『世界の名著 55 ホイジンガ』「中世の秋」中央公論社　1967
ミシェル・フーコー 著／渡辺守章 訳『性の歴史１知への意志』新潮社　1986
Sex Pistols『Never Mind The Bollocks Here's The Sex Pistols』［CD］Warner Brothers　1988
Joy Division『Closer』［LP］Factory Records　1980
Bauhaus『In The Flat Field』［LP］4AD　1980
The Cure『Pornography』［LP］Fiction Records　1982
Siouxsie & The Banshees『A Kiss In The Dreamhouse』［LP］Polydor Records　1982
Claire Wilcox『Vivienne Westwood』V & A Publications　2004
日本近代文学館 編『日本近代文学大事典』全６巻　講談社　1977-78
紅野敏郎・三好行雄・竹盛天雄・平岡敏夫 編『昭和の文学　近代文学史 3』有斐閣　1972
奥野健男『日本文学史　近代から現代へ』中央公論社　1970
三好行雄『日本の近代文学』塙書房　1972
平野謙『昭和文学史』筑摩書房　1959
加藤周一『日本文学史序説』下（ちくま学芸文庫）筑摩書房　1999
大久保典夫ほか編『現代日本文学史』笠間書院　1988
『稲垣足穂全集』第１巻「一千一秒物語」・第２巻「ヰタ・マキニカリス」筑摩書房　2000
『日本の詩歌』第 25 巻「北川冬彦・安西冬衛・北園克衛・春山行夫・竹中郁」中央公論社　1969
龍膽寺雄『放浪時代・アパアトの女たちと僕と』（講談社文芸文庫）講談社　1996
中島河太郎『日本推理小説史』全３巻 東京創元社　1993-6
中島河太郎『現代推理小説大系』別巻２「推理小説評論・推理小説通史・推理小説事典・推理小説年表」講談社　1980
九鬼紫郎『探偵小説百科』金園社　1975
高橋哲雄『ミステリーの社会学　近代的「気晴らし」の条件』（中公新書）中央公論社　1989
『江戸川乱歩全集』第 13・14・15 巻　講談社　1970
『日本探偵小説全集』１「黒岩涙香・小酒井不木・甲賀三郎 集」（創元推理文庫）東京創元社　1984
『日本探偵小説全集』３「大下宇陀児・角田喜久雄 集」（創元推理文庫）東京創元社　1985
『日本探偵小説全集』４「夢野久作 集」（創元推理文庫）東京創元社　1984
『日本探偵小説全集』６「小栗虫太郎 集」（創元推理文庫）東京創元社　1987

ィアルグ短編集』白水社　1987
アンドレ・ピエール・ド・マンディアルグ 著／生田耕作 訳『黒い美術館―マンディアルグ短篇集』白水社　1985
アンドレ・ピエール・ド・マンディアルグ 著／澁澤龍彥 訳『城の中のイギリス人』白水社　1982
マルク・ロンボー 著／ポール・デルヴォー 画／高橋啓 訳『ポール・デルヴォー』（現代美術の巨匠）美術出版社　1991
野中雅代『レオノーラ・キャリントン』（フェミニズム・アート）彩樹社　1997
野中雅代 監修『レメディオス・バロ展』東京新聞社　1999
『LEONOR FINI』Favre　1991
『Dorothea Tanning』Malmo Konsthall　1993
ラドヴァン・イヴシェク 著／トワイヤン 画／巖谷國士 訳『シュルレアリスムと画家叢書「骰子の７の目」』第10巻「トワイヤン」河出書房新社　1978
アンドレ・ブルトン 編著／山中散生・窪田般彌・小海永二 訳『黒いユーモア選集』上・下（セリ・シュルレアリスム１）国文社　1968-69
レオノラ・カリントンほか著／澁澤龍彥・青柳瑞穂 訳『怪奇小説傑作集』第４巻 フランス編（創元推理文庫）東京創元新社 1970

第13章

高原英理『ゴシックスピリット』朝日新聞社　2007
ジョージ・ルーカス監督映画『スター・ウォーズ エピソードⅣ　新たなる希望』［DVD］ウォルト・ディズニー・ジャパン　1997
オスカー・ワイルド 著／西村孝次 訳『幸福な王子――ワイルド童話全集』（新潮文庫）新潮社　1968
ベラ・ルゴシ 出演／トッド・ブラウニング 監督映画『魔人ドラキュラ』［DVD］ユニバーサル・ピクチャーズ・ジャパン　2004
クリストファー・リー／ピーター・カッシング 出演／テレンス・フィッシャー 監督映画『吸血鬼ドラキュラ』［DVD］ワーナー・ホーム・ビデオ　2003
ボリス・カーロフ 出演／ジェームズ・ホエール 監督映画『フランケンシュタイン』［DVD］ユニバーサル・ピクチャーズ・ジャパン　2004
L・C・B・シーマン著／社本時子・三ツ星堅三 訳『ヴィクトリア時代のロンドン』創元社　1987
高橋裕子・高橋達史『ヴィクトリア朝万華鏡』新潮社　1993
富士川義之『英国の世紀末』新書館　1999
出口保夫 編『世紀末のイギリス』研究社出版　1996
角山榮・川北稔 編『路地裏の大英帝国――イギリス都市生活史』平凡社　1982

紀田順一郎・荒俣宏 編『世界幻想文学大系』全45巻　国書刊行会　1975-86
荒俣宏 編『妖精文庫』全31巻・別巻3巻　月刊ペン社　1976-83
アルジャナン・ブラックウッド 著／紀田順一郎 訳『ブラックウッド傑作集』（ブックスメタモルファス）創土社　1972
M・R・ジェイムズ 著／紀田順一郎 訳『M・R・ジェイムズ全集』（ブックスメタモルファス）創土社　1973-75
ロード・ダンセイニ 著／荒俣宏 訳『ダンセイニ幻想小説集』（ブックスメタモルファス）創土社　1972
H・P・ラヴクラフト 著／荒俣宏 訳『ラヴクラフト全集』（ブックスメタモルファス）1巻・4巻 創土社　1975-78
平井呈一ほか 訳『埋もれた文学の館』全5巻　牧神社　1977
小池滋・志村正雄・富山太佳夫 編『ゴシック叢書』全34巻、国書刊行会　1978-85
東雅夫 編集／川島徳絵 発行『幻想文学』第1～67号　幻想文学会出版局、1994年からアトリエOCTA　1982-2003
ローズマリー・ジャクスン 著／東雅夫・下楠昌哉 編／下楠昌哉 訳『幻想と怪奇の英文学Ⅲ――転覆の文学編』春風社　2018
※上は筑摩書房版（ちくま文庫）での補足部分に関して
巖谷國士『シュルレアリスムとは何か』（ちくま学芸文庫）筑摩書房　2002
巖谷國士『シュルレアリスムと芸術』河出書房新社　1976
塚原史『ダダ・シュルレアリスムの時代』（ちくま学芸文庫）筑摩書房　2003
パトリック・ワルドベルグ 著／巌谷国士 訳『シュルレアリスム』美術出版社　1969
アンドレ・ブルトン 著／巖谷國士 訳『シュルレアリスム宣言・溶ける魚』（岩波文庫）岩波書店　1992
アンドレ・ブルトン 著／瀧口修造 監修／巌谷国士ほか 訳『シュルレアリスムと絵画』人文書院　1997
アンドレ・ブルトン 著／巌谷国士・谷川渥ほか 訳『魔術的芸術』河出書房新社　2002
ペル・ジムフェレール 著／マックス・エルンスト 画／椋田直子 訳『マックス・エルンスト』（現代美術の巨匠）美術出版社　1990
エリック・シェーンズ 著／サルバドール・ダリ 画／新関公子 訳『ダリ』（岩波 世界の巨匠）岩波書店　1992
ハマハー 著／ルネ・マグリット 画／高橋康也 訳『ルネ・マグリット』（現代美術の巨匠）美術出版社　1975
アンドレ・ピエール・ド・マンディアルグ 著／生田耕作 訳『燠火―マンディアルグ短篇集』白水社　1979
アンドレ・ピエール・ド・マンディアルグ 著／生田耕作 訳『狼の太陽―マンデ

ゲルショム・ショーレム 著／徳永恂・春山清純 訳『錬金術とカバラ』作品社 2001
澁澤龍彥『夢の宇宙誌——コスモグラフィア ファンタスティカ』（美術選書）美術出版社　1964
ハンス・ヨナス 著／秋山さと子・入江良平 訳『グノーシスの宗教—異邦の神の福音とキリスト教の端緒』人文書院　1986
『荒井献著作集 6 グノーシス主義』岩波書店　2001
大貫隆『グノーシスの神話』岩波書店　1999
マドレーヌ・スコペロ 著／入江良平・中野千恵美 訳『グノーシスとはなにか』（serica books）せりか書房　1997
柴田有『グノーシスと古代宇宙論』勁草書房　1982
荒井献 編／八木誠一・田川建三・大貫隆・小河陽・青野太潮ほか 訳『新約聖書外典』（講談社文芸文庫）講談社　1997
荒井献・柴田有『ヘルメス文書』朝日出版社　1980
荒井献・大貫隆・小林稔 訳『ナグ・ハマディ文書 Ⅰ 救済神話』岩波書店 1997
荒井献・大貫隆・小林稔・筒井賢治 訳『ナグ・ハマディ文書 Ⅳ 黙示録』岩波書店　1998
『中井英夫全集』第１巻「虚無への供物」（創元ライブラリ）東京創元社　1996
『中井英夫全集』第５巻「夕映少年」（創元ライブラリ）東京創元社　2002

第12章

『中井英夫全集』第９巻「月蝕領崩壊」（創元ライブラリ）東京創元社　2003
川村二郎『銀河と地獄——幻想文学論』講談社　1973
川村二郎『内田百閒論——無意味の涙』福武書店　1983
川村二郎『白夜の廻廊——世紀末文学逍遙』岩波書店　1988
川村二郎『語り物の宇宙』講談社　1981
川村二郎『白山の水——鏡花をめぐる』講談社　2000
『澁澤龍彥全集』第14・18・19・21・22巻 河出書房新社　1994-95
『中井英夫全集』第７巻「香りの時間」（創元ライブラリ）東京創元社　1998
紀田順一郎『日本の書物』新潮社　1976
紀田順一郎『古本屋探偵の事件簿』（創元推理文庫）東京創元社　1991
荒俣宏『目玉と脳の大冒険——博物学者たちの時代』筑摩書房　1987
荒俣宏『帝都物語』全10巻（カドカワノベルズ）角川書店　1985-87
紀田順一郎・荒俣宏 編『怪奇幻想の文学』全７巻 新人物往来社　1969-78
紀田順一郎・荒俣宏 編『幻想と怪奇』第１～12号　創刊号のみ三崎書房・2号以後歳月社　1973-74

四谷シモン『人形作家』(講談社現代新書) 講談社　2002
三浦悦子『義躰少女——三浦悦子人形写真集』カンゼン　2003
中川多理『Costa d'Eva イヴの肋骨——中川多理人形作品集』ステュディオ・パラボリカ　2014
※上は筑摩書房版（ちくま文庫）での補足部分に関して
高原英理『無垢の力——〈少年〉表象文学論』講談社　2003
ポーリーヌ・レアージュ 著／澁澤龍彥 訳『オー嬢の物語』河出書房新社　1966
伊藤計劃『ハーモニー』(ハヤカワSFシリーズ Jコレクション) 早川書房　2008
※上は立東舎文庫版での補足部分に関して
マリオ・アンブロスィウス『ma poupée japonaise』論創社　2001
『江戸川乱歩全集』第7巻　講談社　1969

第11章

ヴェラ・レーンドルフ 被写体／ホルガー・トリュルシュ 撮影／鷲沼あや 訳『ヴェルーシュカ——変容』リブロポート　1987
藤縄千艸 編『ドイツ・ロマン派全集』別巻「ドイツ・ロマン派画集」国書刊行会　1997
モーリス・ブランショ、ジュリアン・グラック 著／清水徹、安藤元雄 訳『世界の文学』第12巻「アミナダブ」「シルトの岸辺」集英社　1978
ジュリアン・グラック 著／安藤元雄 訳『アルゴールの城にて』(小説のシュルレアリスム) 白水社　1985
『稲垣足穂全集』第4巻「少年愛の美学」　筑摩書房　2001
谷川渥 著／モンス・デジデリオ 画『モンス・デジデリオ画集』(ピナコテーカ・トレヴィル・シリーズ) トレヴィル　1995
澁澤龍彥『澁澤龍彥集成』第7巻　桃源社　1970
新訳聖書翻訳委員会 訳『ヨハネの黙示録』岩波書店　1996
永井豪『デビルマン』全5巻 (講談社コミックス) 講談社　1972-73
庵野秀明監督『NEON GENESIS EVANGELION』vol.01－08 [DVD] キングレコード　2003
庵野秀明監督『劇場版 NEON GENESIS EVANGELION - DEATH (TRUE) 2 : Air / まごころを、君に』[DVD] キングレコード　2003
※筑摩書房版（ちくま文庫）で一部言及した『シン・エヴァンゲリオン劇場版𝄇』は現在配信のみでDVD・ブルーレイソフト等は発売されていない。
箱崎総一『カバラ—ユダヤ神秘思想の系譜』青土社　1990
沢井繁男『魔術と錬金術』(ちくま学芸文庫) 筑摩書房　2000

第9章

マリリン・マンソン『メカニカル・アニマルズ』［CD］ユニバーサル・ミュージック・インターナショナル　1998
プラトーン 著／森進一 訳『饗宴』（新潮文庫）新潮社　1968
ニコラ・フラメル 著／有田忠郎 訳『象形寓意図の書・賢者の術概要』（ヘルメス叢書 1）白水社 1977
J・シンガー 著／藤瀬恭子 訳『男女両性具有――性意識の新しい理論を求めて』Ⅰ・Ⅱ 人文書院　1981-82
ミシェル・フーコー 著／田村俶 訳『性の歴史 2 快楽の活用』新潮社　1986
ウォルフガング・アマデウス・モーツァルト 作曲／カール・ベーム 指揮／ウィーン国立歌劇場合唱団／ウィーン・フィルハーモニー管弦楽団『フィガロの結婚』［DVD］ユニバーサル・ミュージック・クラシック　2003
浅田彰『ヘルメスの音楽』（水星文庫）筑摩書房　1985
ヴァージニア・ウルフ 著／杉山洋子 訳『世界幻想文学大系』第 39 巻「オーランドー」国書刊行会　1983
アーシュラ・K・ル・グウィン 著／小尾芙佐 訳『闇の左手』（ハヤカワ文庫ＳＦ）早川書房　1978
ドミニック・フェルナンデス 著／三輪秀彦 訳『ポルポリーノ』（ハヤカワ・リテラチャー 24）早川書房　1995

第10章

E・T・A・ホフマン 著／池内紀 編・訳『ホフマン短篇集』（岩波文庫）岩波書店　1984
日影丈吉 編『フランス怪談集』（河出文庫）河出書房新社　1989
吉田良『アストラル・ドール――吉田良少女人形写真集』アスペクト　2001
土井典『偽少女』論創社　2003
澁澤龍彦『幻想の画廊から』美術出版社　1967
サラーヌ・アレクサンドリアン 著／ハンス・ベルメール 画・写真／澁澤龍彦 訳『シュルレアリスムと画家叢書「骰子の７の目」』第３巻「ハンス・ベルメール」河出書房新社　1974
ハンス・ベルメール 著／種村季弘・瀧口修造 訳『イマージュの解剖学』河出書房新社　1975
押井守監督映画『イノセンス』［DVD］ウォルト・ディズニー・ジャパン株式会社　2004
高原英理『少女領域』国書刊行会　1999

葉社　1992
丸尾末広『夢のQ-SAKU』青林堂　1982
佐伯彰一・福永武彦・吉田健一 編『ポオ全集』第1巻　東京創元新社　1969
ベリャーエフ 著／袋一平 訳『世界ＳＦ全集』第8巻「ベリャーエフ」早川書房　1969
H・R・ギーガー『ネクロノミコン』1・2　トレヴィル　1986-87
デイヴィッド・リンチ監督映画『イレイザーヘッド』[VHS] ブロードウェイ　1998
『海野十三全集』第2・4巻　三一書房　1989-91
『江戸川乱歩全集』第4巻　講談社　1969
京極夏彦『魍魎の匣』(講談社ノベルス) 講談社　1995
マルセル・デュシャン 著／ミシェル・サヌイエ 編纂／北山研二 訳『マルセル・デュシャン全著作』未知谷　1995
スティーヴン・キング 著／山田順子 訳『スタンド・バイ・ミー――恐怖の四季 秋冬編』(新潮文庫) 新潮社　1987
マーク・トウェイン 著／大久保康雄 訳『トム・ソーヤーの冒険』(新潮文庫) 新潮社　1953
江戸川乱歩『少年探偵団』ポプラ社　1974

第8章

楳図かずお『のろいの館』(サンデーコミックス) 秋田書店　1984
アン・ラドクリフ 原著／惣谷美智子・堀田知子 訳・著『ユードルフォの謎 1 梗概と研究』大阪教育図書　1998
アン・ラドクリフ 原著／惣谷美智子 訳・著『ユードルフォの謎 2 抄訳と研究』大阪教育図書　1998
シャーロット・ブロンテ 著／吉田健一 訳『ジェイン・エア』(集英社文庫) 集英社　1979
ダフネ・デュ・モーリア 著／大久保康雄 訳『世界文学全集』別巻4「デュ・モーリア～レベッカ 若い娘の手記」河出書房新社　1961
楳図かずお『洗礼』全6巻 (フラワーコミックス) 小学館　1976
楳図かずお『猫目小僧』全5巻 (少年サンデーコミックス) 小学館　1976-77
『楳図かずお傑作集　狐がくれた木の葉っぱ　猫面』こだま出版　1984
楳図かずお『こわい本』全10巻　朝日ソノラマ　1981-82
楳図かずお『恐怖』全3巻 (サンデーコミックス) 秋田書店　1971-72
J・D・ベレスフォードほか著／中村 能三・宇野利泰 訳『怪奇小説傑作集』第2巻 英米篇2 (創元推理文庫) 東京創元新社　1969
楳図かずお『おろち』全6巻 (サンデーコミックス) 秋田書店　1969-71

本の翻訳）講談社　1994

第６章

士郎正宗『攻殻機動隊』講談社　1991
押井守監督映画『GHOST IN THE SHELL ～攻殻機動隊～』［DVD］講談社　1999
アンドレイ・タルコフスキー監督映画『ノスタルジア』［DVD］パイオニアLDC　2002
ヴィリエ・ド・リラダン 著／齋藤磯雄 訳『未来のイヴ』（創元ライブラリ）東京創元社　1996
『エイトマン』1－14［VHS］ビデオメーカー　2000
平井和正 原作／桑田次郎 絵『8マン』第1巻～第5巻（サンデーコミックス）秋田書店　1993
石ノ森章太郎『サイボーグ009』第1巻～第15巻（サンデーコミックス）秋田書店　1966-81
石森章太郎『仮面ライダー』第1・2巻（SUN WIDE COMICS）朝日ソノラマ　1984
ポール・バーホーベン監督映画『ロボコップ』［VHS］ソニー・ピクチャーズ エンタテインメント　1994
木城ゆきと『銃夢』第1～9巻（ヤングジャンプコミックス）集英社　1991-95
G・W・F・ヘーゲル 著／長谷川宏 訳『精神現象学』作品社　1998
シャルル・プリニエ 著／関義 訳『醜女の日記』（新潮文庫）新潮社　1958
岡崎京子『ヘルタースケルター』（FEEL COMICS）祥伝社　2003
一条ゆかり『一条ゆかり長編集2「雨のにおいのする街」「摩耶の葬列」』（りぼんDXコミックス）集英社　1973
ジャン＝ジャック・ベネックス監督映画『ベティ・ブルー』［VHS］20世紀フォックスホーム エンターテイメントジャパン　1991
岡崎京子『リバーズ・エッジ』（Wonderland comics）宝島社　2000
岡崎京子『東京ガールズブラボー』上・下　JICC出版局　1992-93

第７章

『江戸川乱歩全集』第1・3・4・6巻　講談社　1969
ドルトン・トランボ 著／信太英男 訳『ジョニーは戦場へ行った』（角川文庫）角川書店　1971
『山上たつひこ選集』第11・12巻「光る風」1・2（アクションコミックス）双

澁澤龍彦 編『暗黒のメルヘン』立風書房　1971
ルキノ・ヴィスコンティ監督映画『地獄に堕ちた勇者ども』[VHS] ワーナー・ホーム・ビデオ　1993
アンドレイ・タルコフスキー監督映画『鏡』[VHS] アイ・ヴィ・シー　1998
デレク・ジャーマン監督映画『デレク・ジャーマン：フィルム・コレクション Vol.1「エンジェリック・カンバセーション」』[VHS] アップリンク　1985
倉橋由美子『聖少女』新潮社　1965
沼正三 著／村上芳正 画『改訂増補限定版　家畜人ヤプー』都市出版社　1970
丸尾末広『薔薇色ノ怪物』青林堂　1982
花輪和一『月ノ光』青林堂　1980
大越孝太郎『月喰ウ蟲』青林堂　1995
宮西計三『リリカ』ペヨトル工房　1994
三原ミツカズ『beautiful people』(FEEL COMICS) 祥伝社　2001
楠本まき『Kの葬列』第1・2巻 (マーガレットコミックスワイド版) 集英社 1994-95
多田由美『お陽様なんか出なくてもかまわない』(あすかコミックス) KADOKAWA　1988
Gyula Halasz Brassai『PARIS BY NIGHT』Pantheon　1988
サラ・ムーン『SARAH MOON　サラ・ムーン展』PPS通信社　1984
Robert Mapplethorpe『Mapplethorpe』Random House　1992
スティーヴン・アーノルド『スティーヴン・アーノルド写真集―エンジェルズ・オブ・ナイト』PARCO出版　1987
ベルナール・フォコン 著／久保木泰夫 編集・翻訳・構成『飛ぶ紙：ベルナール・フォコン写真集』PARCO出版　1986
沢渡朔『少女アリス』河出書房新社　1991
細江英公『薔薇刑――細江英公写真集』集英社　1984
郷司基晴『Calcite　方解石――郷司基晴写真集』トレヴィル　1993
Joel-Peter Witkin『FORTY PHOTOGRAPHS』Distributed Art Pub Inc　1992
伊藤俊治『生体廃墟論』リブロポート　1987
Floria Sigismondi『Redemption』Die Gestalten Verlag　1999

第5章

オクターヴ・ミルボー 著／篠田知和基 訳『フランス世紀末文学叢書』第5巻「責苦の庭」国書刊行会　1984
『江戸川乱歩全集』第8巻　講談社　1969
『澁澤龍彦翻訳全集』第5巻　河出書房新社　1997
ロオトレアモン 著／青柳瑞穂 訳『マルドロオルの歌』(講談社文芸文庫 現代日

トマス・ハリス著／小倉多加志 訳『レッドドラゴン』上・下 （ハヤカワ文庫NV）早川書房　1989
トマス・ハリス 著／菊池光 訳『羊たちの沈黙』（新潮文庫）新潮社　1989
トマス・ハリス 著／高見浩 訳『ハンニバル』上・下 （新潮文庫）新潮社　2000
パーシー・ビッシュ・シェリー 著／石川重俊 訳『鎖を解かれたプロメテウス』（岩波文庫）岩波書店　2003

第３章

江戸川乱歩『貼雑年譜　完全復刻版』東京創元社　2001
ジェーン・オースティン 著／中尾真理 訳『ノーサンガー・アベイ』キネマ旬報社　1997
佐伯彰一・福永武彦・吉田健一 編『ポオ全集』第１巻　東京創元新社　1969
佐伯彰一・福永武彦・吉田健一 編『ポオ全集』第３巻　東京創元新社　1969
須永朝彦 編『書物の王国　第12巻　吸血鬼』国書刊行会　1998
スティーヴン・キング 著／小尾芙佐 訳『ＩＴ』１～４（文春文庫）文藝春秋　1994
木原浩勝・中山市朗『新耳袋――あなたの隣の怖い話』扶桑社　1990
鈴木光司『リング』角川書店　1991
矢野浩三郎 監訳『定本ラヴクラフト全集』第7-Ⅰ巻　国書刊行会　1985
エドマンド・バーク 著／中野好之 訳『崇高と美の観念の起原』（みすずライブラリー）みすず書房　1999

第４章

『世界大百科事典』第２版（「唯美主義」の項）平凡社　1998
ジョゼファン・ペラダン、ジュール・ラフォルグ、ピエール・ルイス ほか著／曾根元吉 ほか訳『フランス世紀末文学叢書』第１巻「パルジファルの復活祭」国書刊行会　1988
野田宇太郎『日本耽美派文学の誕生』河出書房新社　1975
『谷崎潤一郎全集』第１・２・４・13・20巻　中央公論社　1981-83
『江戸川乱歩全集』第２巻　講談社　1969
『三島由紀夫全集』第27巻　新潮社　1975
『川端康成全集』第28巻　新潮社　1982
『澁澤龍彦全集』第８・10巻　河出書房新社　1994
中井英夫『とらんぷ譚』平凡社　1980
中井英夫『黒鳥の囁き』（夢の王国８）大和書房　1995

天野可淡 著／吉田良一 撮影『KATAN DOLL』トレヴィル　1989
ゴットフリート・ヘルンバイン 写真／伊藤俊治 構成・文『HELNWEIN　ヘルンバイン写真集』リブロポート　1989
丸尾末広『笑う吸血鬼』秋田書店　2000
楠本まき『致死量ドーリス』（FEEL COMICS GOLD）祥伝社　1998
三原ミツカズ『Doll』1～6（FEEL COMICS）祥伝社　2000-02

第２章

『中井英夫全集』第６巻「ケンタウロスの嘆き」（創元ライブラリ）東京創元社　1996
『江戸川乱歩全集』第７巻　講談社　1969
『三島由紀夫全集』第３巻　新潮社　1973
M・W・シェリー 著／臼田昭 訳『フランケンシュタイン』（ゴシック叢書 6）国書刊行会　1979
関根正雄 訳『旧約聖書 ヨブ記』（岩波文庫）岩波書店　1971
H・G・ウェルズ 著／中村融 訳『モロー博士の島』（創元 SF 文庫）　東京創元社　1996
A・E・ヴァン・ヴォクト 著／浅倉久志 訳『スラン』（ハヤカワ文庫ＳＦ）早川書房　1977
フィリップ・K・ディック 著／浅倉久志 訳『アンドロイドは電気羊の夢を見るか？』（ハヤカワ文庫ＳＦ）早川書房　1977
手塚治虫『鉄腕アトム』全 21 巻・別巻 2（SUNDAY COMICS）秋田書店　2000
田中憲『妖怪人間ベム――「ぼくら」連載漫画版』（マガジンＺコミックスデラックス）講談社　2002
『妖怪人間ベム』VOL. 1－9［VHS］マクザム　1996-97
フリードリヒ・ニーチェ 著／手塚富雄 編・訳『世界の名著 46 ニーチェ』「ツァラトゥストラ／悲劇の誕生」中央公論社　1966
紀田順一郎・荒俣宏 編／ジョン・ポリドリほか著／平井呈一ほか訳『怪奇幻想の文学　1　真紅の法悦』新人物往来社　1977
ブラム・ストーカー 著／平井呈一 訳『吸血鬼ドラキュラ』（創元推理文庫）東京創元新社　1963
吉田八岑『吸血鬼』北宋社　1990
栗原成郎『スラヴ吸血鬼伝説考』河出書房新社　1991
須永朝彦『血のアラベスク――吸血鬼読本』ペヨトル工房　1993
ジャン・マリニー 著／中村健一 訳『吸血鬼伝説』（「知の再発見」双書）創元社　1994

参照・参考文献一覧

第１章

紀田順一郎 編『出口なき迷宮——反近代のロマン〈ゴシック〉』牧神社　1975
『牧神』創刊号「特集：ゴシック・ロマンス　暗黒小説の系譜」牧神社　1975
野島秀勝ほか著『城と眩暈——ゴシックを読む』（ゴシック叢書 20）国書刊行会　1982
小池滋『ゴシック小説をよむ』（岩波セミナーブックス 78）岩波書店　1999
杉山洋子・長尾知子・惣谷美智子・神崎ゆかり・小山明子ほか著『古典ゴシック小説を読む—ウォルポールからホッグまで』英宝社　2000
『ゴシック・テイスト——“暗黒世界”への扉』（トーキングヘッズ叢書）アトリエサード　2002
『yaso　夜想——特集＃ゴス』ステュディオ・パラボリカ　2003
クリス・ブルックス 著／鈴木博之・豊口真衣子 訳『ゴシック・リヴァイヴァル』岩波書店　2003
ホーレス・ウォルポール 著／平井呈一 訳『オトラント城綺譚』（埋もれた文学の館）牧神社　1975
ホレス・ウォルポール 著／井出弘之 訳『オトラントの城』（ゴシック叢書 27）国書刊行会　1983
ウィリアム・ベックフォード 著／矢野目源一 訳／生田耕作 補訳校註『ヴァテック 亜剌比亜譚』（埋もれた文学の館）牧神社　1977
クララ・リーヴ 著／柄本魁 訳『老英男爵』（埋もれた文学の館）牧神社　1977
M・G・ルイス 著／井上一夫 訳『世界幻想文学大系』第 2A・2B 巻「マンク」上・下　国書刊行会　1985-86
ウィリアム・ピーター・ブラッティ 著／宇野利泰 訳『エクソシスト』新潮社　1973
C・B・ブラウン 著／志村正雄 訳『世界幻想文学大系』第３巻「ウィーランド」国書刊行会　1986
日夏耿之介『サバト恠異帖』（クラテール叢書 6）国書刊行会　1987
モンタギュー・サマーズ 著／日夏耿之介 訳『吸血妖魅考』牧神社　1976
『ゴシック＆ロリータバイブル』（バウハウスムック）メディア・クライス　2001
『ゴシック＆ロリータバイブル』Vol. 2・3（ヌーベルグー MOOK）ヌーベルグー　2001
四谷シモン 制作／篠山紀信 写真／澁澤龍彥 監修『四谷シモン　人形愛』美術出版社　1985

思考の整理学　外山滋比古

アイディアを軽やかに離陸させ、思考をのびのびと飛行させる方法を、広い視野とシャープな論理で知られる著者が、明快に提示する。

質問力　齋藤孝

コミュニケーション上達の秘訣は質問力にあり！これさえ磨けば、初対面の人からも深い話が引き出せる。話題の本の、待望の文庫化。（斎藤兆史）

整体入門　野口晴哉

日本の東洋医学を代表する著者による初心者向け野口整体のポイント。体の偏りを正す基本の「活元運動」から目的別の運動まで。（伊藤桂一）

命売ります　三島由紀夫

自殺に失敗し、「命売ります。お好きな目的にお使い下さい」という突飛な広告を出した男のもとに、現われたのは？（種村季弘）

こちらあみ子　今村夏子

あみ子の純粋な行動が周囲の人々を否応なく変えていく。第26回太宰治賞、第24回三島由紀夫賞受賞作。書き下ろし「チズさん」収録。（町田康／穂村弘）

ベルリンは晴れているか　深緑野分

終戦直後のベルリンで恩人の不審死を知ったアウグステは彼の甥に訃報を届けに陽気な泥棒と旅立つ。歴史ミステリの傑作が遂に文庫化！（酒寄進一）

向田邦子ベスト・エッセイ　向田邦子　向田和子編

いまも人々に読み継がれている向田邦子。その随筆の中から、家族、食、生き物、こだわりの品、旅、仕事、私……、といったテーマで選ぶ。（角田光代）

倚りかからず　茨木のり子

もはや／いかなる権威にも倚りかかりたくはない……話題の単行本に3篇の詩を加え、高瀬省三氏の絵を添えて贈る決定版詩集。（山根基世）

るきさん　高野文子

のんびりしていてマイペース、だけどどっかヘンテコな、るきさんの日常生活って？　独特な色使いが光るオールカラー。ポケットに一冊どうぞ。

劇画 ヒットラー　水木しげる

ドイツ民衆を熱狂させた独裁者アドルフ・ヒットラーとはどんな人間だったのか。ヒットラー誕生からその死まで、骨太な筆致で描く伝記漫画。

ねにもつタイプ　岸本佐知子

何となく気になることにこだわる、ねにもつ。思索、奇想、妄想はばたく脳内ワールドをリズミカルな名短文でつづる。第23回講談社エッセイ賞受賞。

TOKYO STYLE　都築響一

小さい部屋が、わが宇宙。ごちゃごちゃと、しかし快適に暮らす、僕らの本当のトウキョウ・スタイルはこんなものだ！　話題の写真集文庫化！

自分の仕事をつくる　西村佳哲

仕事をすることは会社に勤めること、ではない。仕事を「自分の仕事」にできた人たちに学ぶ、働き方のデザインの仕方とは。（稲本喜則）

世界がわかる宗教社会学入門　橋爪大三郎

宗教なんてうさんくさい!?　でも宗教は文化や価値観の骨格であり、それゆえ紛争のタネにもなる。世界宗教のエッセンスがわかる充実の入門書。

ハーメルンの笛吹き男　阿部謹也

「笛吹き男」伝説の裏に隠された謎はなにか？　十三世紀ヨーロッパの小さな村で起きた事件を手がかりに中世における「差別」を解明。（石牟礼道子）

増補　日本語が亡びるとき　水村美苗

明治以来豊かな近代文学を生み出してきた日本語が、いま、大きな岐路に立っている。我々にとって言語とは何なのか。第8回小林秀雄賞受賞作に大幅増補。

子は親を救うために「心の病」になる　高橋和巳

子は親が好きだからこそ「心の病」になり、親を救おうとしている。精神科医である著者が説く、親子という「生きづらさ」の原点とその解決法。

クマにあったらどうするか　姉崎等　片山龍峯

「クマは師匠」と語り遺した狩人が、アイヌ民族の知恵と自身の経験から導き出した超実践クマ対処法。クマと人間の共存する形が見えてくる。（遠藤ケイ）

脳はなぜ「心」を作ったのか　前野隆司

「意識」とは何か。どこまでが「私」なのか。死んだら「心」はどうなるのか。――「意識」と「心」の謎に挑んだ話題の本の文庫化。（夢枕獏）

モチーフで読む美術史　宮下規久朗

絵画に描かれた代表的な「モチーフ」を手掛かりに美術を読み解く、画期的な名画鑑賞の入門書。カラー図版約150点を収録した文庫オリジナル。

品切れの際はご容赦ください

茨木のり子集 言の葉（全3冊）　茨木のり子
しなやかに凛と生きた詩人の歩みの跡を、詩とエッセイで編んだ自選作品集。単行本未収録の作品なども収め、魅力の全貌をコンパクトに纏める。

一本の茎の上に　茨木のり子
「人間の顔は一本の茎の上に咲き出た一瞬の花である」表題作をはじめ、敬愛する山之口貘等について綴った香気漂うエッセイ集。（金裕鴻）

詩ってなんだろう　谷川俊太郎
谷川さんはどう考えているのだろう。その道筋にそって詩を集め、選び、配列し、詩とは何かを考えるおおもとを示しました。（華恵）

山頭火句集　種田山頭火　村上護編　小崎侃・画
自選句集「草木塔」を中心に、その境涯を象徴する随筆も精選収録し、〝行乞流転〟の俳人の全容を伝える一巻選集！（村上護）

尾崎放哉全句集　村上護編
「咳をしても一人」などの感銘深い句で名高い自由律の俳人・放哉。放浪の旅の果て、小豆島で破滅型の人生を終えるまでの全句業。（村上護）

放哉と山頭火　渡辺利夫
エリートの道を転げ落ち、引きずる死の影を詩いあげる放哉。各地を歩いて生きて在ることの孤独と寂寥を詩う山頭火。アジア研究の碩学による省察の旅。

笑う子規　正岡子規＋天野祐吉＋南伸坊
「弘法は何と書きしぞ筆始」「猫老て鼠もとらず置火燵」。天野さんのユニークなコメント、南さんの豪快な絵を添えて贈る愉快な子規句集。（関川夏央）

絶滅寸前季語辞典　夏井いつき
「従兄煮」「蚊帳」「夜這星」「竈猫」……季節感が失われ、風習が廃れて消えていく季語たちに、新しい命を吹き込む読み物辞典。（茨木和生）

絶滅危急季語辞典　夏井いつき
「ぎぎ・ぐぐ」「われから」「子持花椰菜」「大根祝う」……消えゆく季語に新たな命を吹き込む読み物辞典。超絶季語続出の第二弾。（古谷徹）

詩歌の待ち伏せ　北村薫
〝本の達人〟による折々に出会った詩歌との出会いが生んだ名エッセイ。これまでに刊行されていた3冊を合本した〈決定版〉。（佐藤夕子）

すべてきみに宛てた手紙　長田弘
この世界を生きる唯一の「きみ」へ――人生のためのヒントが見つかる、39通のあたたかなメッセージ。傑作エッセイが待望の文庫化！（谷川俊太郎）

言葉なんかおぼえるんじゃなかった　田村隆一・語り　長薗安浩・文
戦後詩を切り拓き、常に詩の最前線で活躍し続けた伝説の詩人・田村隆一が若者に向けて送る珠玉のメッセージ。代表的な詩25篇も収録。（穂村弘）

夜露死苦現代詩　都築響一
寝たきり老人の独語、死刑囚の俳句、エロサイトのコピー……誰も文学と思わないのに、一番僕たちをドキドキさせる言葉をめぐる旅。増補版。

えーえんとくちから　笹井宏之
風のように光のようにやさしく強く二十六年の生涯を駆け抜けた夭折の歌人・笹井宏之。そのベスト歌集が没後10年を機に待望の文庫化！（穂村弘）

先端で、さすわ　さされるわ　そらええわ　川上未映子
すべてはここから始まった――。デビュー作にして圧倒的文圧を誇る表題作を含む珠玉の七編。第14回中原中也賞を受賞した第一詩集がついに文庫化！

水　瓶　川上未映子
鎖骨の窪みの水瓶を捨てにいく少女を描いた長編詩「水瓶」を始め、より豊潤に尖鋭に広がる詩的宇宙。第43回高見順賞に輝く第二詩集、ついに文庫化！

春原さんのリコーダー　東直子
シンプルな言葉ながら一筋縄ではいかない独特な世界観の東直子デビュー歌集。刊行時の栞文や、花山周子による評論、川上弘美との対談も収録。

青　卵　東直子
現代歌人の新しい潮流となった東直子の第二歌集。花山周子の評論、穂村弘との特別対談により独自の感覚に充ちた作品の謎に迫る。

回転ドアは、順番に　穂村弘　東直子
ある春の日に出会い、そして別れるまで。気鋭の歌人ふたりが、見つめ合い呼吸をはかりつつ投げ合う、スリリングな恋愛問答歌。（金原瑞人）

適切な世界の適切ならざる私　文月悠光
中原中也賞、丸山豊記念現代詩賞を最年少の18歳で受賞し、21世紀の現代詩をリードする文月悠光の記念碑的第一詩集が待望の文庫化！（町屋良平）

品切れの際はご容赦ください

杉浦日向子ベスト・エッセイ　杉浦日向子

初期の単行本未収録作品から、若き晩年、自らの生と死を見つめた名篇までを、多彩な活躍をした人生の軌跡を辿るように集めた、最良のコレクション。

お江戸暮らし　杉浦日向子

江戸にすんなり遊べる幸せ。漫画、エッセイ、語りと江戸の魅力を多角的に語り続けた杉浦日向子の作品群から、精選して贈る、最良の江戸の入口。

向田邦子シナリオ集　向田邦子　向田和子編

いまも人々の胸に残る向田邦子のドラマ。「隣りの女」「七人の刑事」など、テレビ史上に残る名作、知られざる傑作をセレクト収録する。（平松洋子）

甘い蜜の部屋　森茉莉

天使の美貌、無意識の媚態。薔薇の蜜で男たちを溺れ死なせていく少女モイラと父親の濃密な愛の部屋。稀有なロマネスク。（矢川澄子）

貧乏サヴァラン　森茉莉　早川暢子編

オムレット、ボルドオ風茸料理、野菜の牛酪煮……。食いしん坊茉莉は料理自慢。香り豊かな〝茉莉ことば〟で綴られる垂涎の食エッセイ。文庫オリジナル。

紅茶と薔薇の日々　森茉莉　早川茉莉編

天皇陛下のお菓子に洋食店の味、庭に実る木苺……森鷗外の娘にして無類の食いしん坊、森茉莉が描く懐かしく愛おしい美味の世界。（辛酸なめ子）

遊覧日記　武田百合子　武田花・写真

行きたい所へ行きたい時に、つれづれに出かけてゆく。一人で。または二人で。あちらこちらを遊覧しながら綴ったエッセイ集。（巖谷國士）

ことばの食卓　武田百合子　野中ユリ・画

なにげない日常の光景やキャラメル、枇杷など、食べものに関する昔の記憶と思い出を感性豊かな文章で綴ったエッセイ集。（種村季弘）

クラクラ日記　坂口三千代

戦後文壇を華やかに彩った無頼派の雄・坂口安吾との、嵐のような生活を妻の座から愛と悲しみをもって描く回想記。巻末エッセイ＝松本清張

妹たちへ　矢川澄子ベスト・エッセイ　矢川澄子　早川茉莉編

澁澤龍彦の最初の夫人であり、孤高の感性と自由な知性の持ち主であった矢川澄子。その作品に様々な角度から光をあて織り上げる珠玉のアンソロジー。

わたしは驢馬に乗って下着をうりにゆきたい　鴨居羊子
新聞記者から下着デザイナーへ。斬新で夢のある下着を世に送り出し、下着ブームを巻き起こした女性起業家の悲喜こもごも。（近代ナリコ）

遠い朝の本たち　須賀敦子
一人の少女が成長する過程で出会い、愛しんだ文学作品の数々を、記憶に深く残る人びとの想い出とともに描くエッセイ。（末盛千枝子）

神も仏もありませぬ　佐野洋子
還暦……もう人生おりたかった。でも春のきざしの蕗の薹に感動する自分がいる。意味なく生きても人は幸せなのだ。第3回小林秀雄賞受賞。（長嶋康郎）

私はそうは思わない　佐野洋子
佐野洋子は過激だ。ふつうの人が思うようには思わない。大胆で意表をついたまっすぐな発言をする。だから読後が気持ちいい。（群ようこ）

色を奏でる　志村ふくみ・文　井上隆雄・写真
色と糸と織――それぞれに思いを深めて織り続ける染織家にして人間国宝の著者の、エッセイと鮮かな写真が織りなす豊醇な世界。オールカラー。

老いの楽しみ　沢村貞子
八十歳を過ぎ、女優引退を決めた著者が、日々の思いを綴る。齢にさからわず、「なみ」に、気楽に、と過ごす時間に楽しみを見出す。（山崎洋子）

おいしいおはなし　高峰秀子編
向田邦子、幸田文、山田風太郎……著名人23人の美味な思い出。文学や芸術にも造詣が深かった往年の大女優・高峰秀子が厳選した珠玉のアンソロジー。

パンツの面目ふんどしの沽券　米原万里
キリストの下着はパンツか腰巻か？　幼い日にめばえた疑問を手がかりに、人類史上の謎に挑んだ、抱腹絶倒&禁断のエッセイ。（井上章一）

新版 いっぱしの女　氷室冴子
時を経てなお生きる言葉のひとつひとつが、呼吸を楽にしてくれる――。大人気小説家・氷室冴子の名作エッセイ、待望の復刊！（町田そのこ）

真似のできない女たち　山崎まどか
彼女たちの真似はできない、しかし決して「他人」でもない。シンガー、作家、デザイナー、女優……唯一無二で炎のような女性たちの人生を追う。

品切れの際はご容赦ください

本屋、はじめました　増補版　辻山良雄
リブロ池袋本店のマネージャーだった著者が、自分の書店を開業するまでの全て。その後のことを文庫化にあたり書き下ろした。（若松英輔）

ガケ書房の頃　完全版　山下賢二
京都の個性派書店青春記。２００４年の開店前からその後の展開まで。資金繰り、セレクトへの疑念など本音で綴る。帯文＝武田砂鉄（島田潤一郎）

わたしの小さな古本屋　田中美穂
会社を辞めた日、古本屋になることを決めた。倉敷の空気、古書がつなぐ人の縁、店の生きものたち……。女性店主が綴る蟲文庫の日々。（早川義夫）

ぼくは本屋のおやじさん　早川義夫
22年間の書店としての苦労と、お客さんとの交流。どこにもありそうで、ない書店。30年来のロングセラー！（大槻ケンヂ）

女子の古本屋　岡崎武志
女性店主の個性的な古書店が増えています。カフェを併設したり雑貨も置くなど、独自の品揃えで注目の各店を紹介。追加取材して文庫化。（近代ナリコ）

野呂邦暢　古本屋写真集　野呂邦暢　岡崎武志／古本屋ツアー・イン・ジャパン編
野呂邦暢が密かに撮りためた古本屋写真が存在する。２０１５年に書籍化された際、話題をさらった写真集が増補、再編集の上、奇跡の文庫化。

ボン書店の幻　内堀弘
１９３０年代、一人で活字を組み印刷し好きな本を刊行していた出版社があった。刊行人鳥羽茂と書物の舞台裏の物語を探る。（長谷川郁夫）

「本をつくる」という仕事　稲泉連
ミスをなくすための校閲。本の声である書体の制作。もちろん紙も必要だ。本を支えるプロに仕事の話を聞きにいく情熱のノンフィクション。（武田砂鉄）

あしたから出版社　島田潤一郎
青春の悩める日々、創業への道のり、編集・装丁・営業の裏話、忘れがたい人たち……「ひとり出版社」を営む著者による心打つエッセイ。（頭木弘樹）

ビブリオ漫画文庫　山田英生編
古書店、図書館など、本をテーマにした傑作漫画集。主な収録作家――水木しげる、永島慎二、松本零士、つげ義春、楳図かずお、諸星大二郎ら18人。

ぼくは散歩と雑学がすき　植草甚一

1970年、遠かったアメリカ。その風俗、映画、本、音楽から政治までをフレッシュな感性と膨大な知識、貪欲な好奇心で描き出す代表エッセイ集。

せどり男爵数奇譚　梶山季之

せどり＝掘り出し物の古書を安く買って高く転売することを業とすること。古書の世界に魅入られた人々を描く傑作ミステリー。（永江朗）

20ヵ国語ペラペラ　種田輝豊

30歳で「20ヵ国語」をマスターした著者が外国語の習得ノウハウを惜しみなく開陳した語学の名著であり、心を動かす青春記。（黒田龍之助）

ポケットに外国語を　黒田龍之助

言葉への異常な愛情で、外国語本来の面白さを伝えるエッセイ集。ついでに外国語学習が、もっと楽しくなるヒントもつまっている。（堀江敏幸）

英単語記憶術　岩田一男

単語を構成する語源を捉えることで、語の成り立ちを理解することを説き、丸暗記では得られない体系的な英単語習得を提案する50年前の名著復刊。

増補版　誤植読本　高橋輝次編著

本と誤植は切っても切れない⁉　恥ずかしい打ち明け話や、校正をめぐるあれこれなど、作家たちが本音を語り出す。作品42篇収録。（堀江敏幸）

文章読本さん江　斎藤美奈子

「文章読本」の歴史は長い。百年にわたり文豪から一介のライターまでが書き綴った、この「文章読本」とは何ものか。第1回小林秀雄賞受賞の傑作評論。

読書からはじまる　長田弘

自分のために、次世代のために――。「本を読む」意味をいまだからこそ考えたい。人間の世界への愛に溢れた珠玉の読書エッセイ！（池澤春菜）

本は読めないものだから心配するな　管啓次郎

この世界に存在する膨大な本をめぐる読書論であり、ブックガイドであり、世界を知るための案内書。読めば、心の天気が変わる。（柴崎友香）

「読み」の整理学　外山滋比古

読み方には、既知を読むアルファ（おかゆ）読みと、未知を読むベータ（スルメ）読みがある。リーディングの新しい地平を開く目からウロコの一冊。

品切れの際はご容赦ください

戦闘美少女の精神分析　斎藤環

ナウシカ、セーラームーン、綾波レイ……「戦う美少女」たちは、日本文化の何を象徴するのか。「おたく」「萌え」の心理的特性に迫る。（東浩紀）

紅一点論　斎藤美奈子

「男の中に女が一人」は、テレビやアニメで非常に見慣れた光景である。その「紅一点」の座を射止めたヒロイン像とは!?（姫野カオルコ）

男流文学論　上野千鶴子／小倉千加子／富岡多恵子

「痛快！　よくぞやってくれた」「こんなもの文学批評じゃない！」　吉行・三島など〝男流〟作家を一刀両断にして話題沸騰の書。（斎藤美奈子）

東大で上野千鶴子にケンカを学ぶ　遙洋子

そのケンカ道の見事さに目を見張り「私も学問がしたい！」という熱い思いを読者に湧き上がらせた、涙と笑いのベストセラー。（斎藤美奈子）

夏目漱石を読む　吉本隆明

主題を追求する「暗い」漱石と愛される「国民作家」をつなぐ資質の問題とは？　平明で卓抜な漱石講義十二講。第2回小林秀雄賞受賞。（関川夏央）

増補 サブカルチャー神話解体　宮台真司／石原英樹／大塚明子

少女カルチャーや音楽、マンガ、AVなど各種メディアの歴史を辿り、若者の変化を浮き彫りにした前人未到のサブカル分析。（上野千鶴子）

これで古典がよくわかる　橋本治

古典文学に親しめず、興味を持てない人たちは少なくない。どうすれば古典が「わかる」ようになるかを具体例を挙げ、教授する最良の入門書。

日本語で読むということ　水村美苗

なぜ『日本語が亡びるとき』は書かれることになったのか？　そんな関心と興味にもおのずから応える、折にふれて書き綴られたエッセイ&批評文集。

日本語で書くということ　水村美苗

一九八〇年代から二〇〇〇年代に書かれた漱石や谷崎に関する文学評論、インドや韓国への旅行記など、〈書く〉という視点でまとめた評論&エッセイ集。

思索紀行（上・下）　立花隆

本ではない。まず旅だ！　ジャーナリストならではの鋭敏な感覚で、世界の姿を読者にはっきりとさしだした思想旅行記の名著。

文化防衛論　三島由紀夫

「最後に護るべき日本」とは何か。戦後文化が爛熟した一九六九年に刊行され、各界の論議を呼んだ三島由紀夫の論理と行動の書。（福田和也）

三島由紀夫と楯の会事件　保阪正康

社会に衝撃を与えた1970年の三島由紀夫割腹事件はなぜ起きたのか？　憲法、天皇、自衛隊を論じたあの時代と楯の会の軌跡を追う。（鈴木邦男）

ロシア文学の食卓　沼野恭子

前菜、スープ、メイン料理からデザートや飲み物まで。「食」という観点からロシア文学の魅力に迫る読書案内。カラー料理写真満載。（平松洋子）

どうにもとまらない歌謡曲　舌津智之

大衆の価値観が激動した1970年代。誰もが歌えた「あの曲」が描く「女」と「男」の世界の揺らぎ——衝撃の名著、待望の文庫化！（斎藤美奈子）

中華料理の文化史　張競

フカヒレ、北京ダック等の歴史は意外に浅い。ではそれ以前の中華料理とは？　孔子の食卓から現代まで、風土、異文化交流から描きだす。（佐々木幹郎）

期待と回想　鶴見俊輔

「わたしは不良少年だった」15歳で渡米、戦時下の帰国、戦後50年に及ぶ『思想の科学』の編集……自らの人生と思想を語りつくす。（黒川創）

圏外編集者　都築響一

既存の仕組みにとらわれることなく面白いものを追い求め、数多の名著を生み出す著者による半生とともに「編集」の本質を語る一冊が待望の文庫化。

春画のからくり　田中優子

春画では、女性の裸だけが描かれることはなく、男女の絡みが描かれる。男女が共に楽しんだであろう性表現に凝らされた趣向とは。図版多数。

増補　エロマンガ・スタディーズ　永山薫

制御不能の創造力と欲望で数多の名作・怪作を生んできた日本エロマンガ。多様化の歴史と主要ジャンルを網羅した唯一無二の漫画入門。（東浩紀）

官能小説用語表現辞典　永田守弘編

官能小説の魅力は豊かな表現力にある。本書は創意工夫の限りを尽くしたその表現をピックアップした、日本初かつ唯一の辞典である。（重松清）

品切れの際はご容赦ください

禅　鈴木大拙／工藤澄子訳
禅とは何か。また禅の現代的意義とは？　世界的な関心の中で見なおされる禅について、その真諦を解き明かす。（秋月龍珉）

タオ——老子　加島祥造
さりげない詩句で語られる宇宙の神秘と人間の生きるべき大道とは？　時空を超えて新たに甦る『老子道徳経』全81章の全訳創造詩。待望の文庫版！

荘子と遊ぶ　玄侑宗久
『荘子』はすこぶる面白い。読んでいると「常識」という桎梏から解放される。魅力的な言語世界を味わいながら、現代的な解釈を試みる。（ドリアン助川）

つぎはぎ仏教入門　呉智英
知ってるようで知らない仏教の、その歴史から思想的な核心までを、この上なく明快に説く。現代人のための最良の入門書。二篇の補論を新たに収録！

現代人の論語　呉智英
革命軍に参加!?　王妃と不倫!?　孔子とはいったい何者なのか？　論語を読み抜くことで浮かび上がる孔子の実像。現代人のための論語入門・決定版！

日本異界絵巻　小松和彦／宮田登／鎌田東二／南伸坊
役小角、安倍晴明、酒呑童子、後醍醐天皇ら、妖怪変化、異界人たちの列伝。魑魅魍魎が跳梁跋扈する闇の世界へようこそ。挿画、異界用語集付き。

仏教百話　増谷文雄
仏教の根本精神を究めるには、ブッダに帰らねばならない。ブッダ生涯の言行を一話完結形式で、わかりやすく説いた入門書。

武道的思考　内田樹
「いのちがけ」の事態を想定し、心身の感知能力を高める技法である武道には叡智が満ちている！　気持ちがシャキッとなる達見の武道論。（安田登）

仁義なきキリスト教史　架神恭介
イエスの活動、パウロの伝道から、叙任権闘争、十字軍、宗教改革まで——。キリスト教二千年の歴史が果てなきやくざ抗争史として蘇る！（石川明人）

よいこの君主論　架神恭介／辰巳一世
戦略論の古典的名著、マキャベリの『君主論』が、小学校のクラス制覇を題材に楽しく学べます。学校、職場、国家の覇権争いに最適のマニュアル。

生き延びるためのラカン　斎藤環

幻想と現実が接近しているこの世界で、できるだけリアルに生き延びるためのラカン解説書にして精神分析入門書。カバー絵・荒木飛呂彦　（中島義道）

人生を〈半分〉降りる　中島義道

哲学的に生きるには〈半隠遁〉というスタイルを貫くしかない。「清貧」とは異なるその意味と方法を、自身の体験を素材に解き明かす。　（中野翠）

私の幸福論　福田恆存

この世は不平等だ。何と言おうと！　しかしあなたは幸福にならなければ……。平易な言葉で生きることの意味を説く刺激的な書。　（中野翠）

ちぐはぐな身体（からだ）　鷲田清一

ファッションは、だらしなく着くずすことから始まる。中高生の制服の着崩し、コムデギャルソン、刺青等から身体論を語る。　（永江朗）

エーゲ　永遠回帰の海　立花隆

ギリシャ・ローマ文明の核心部を旅し、人類の思考の普遍性に立って、西欧文明がおこなった精神の活動を再構築する思索旅行記。カラー写真満載。

独学のすすめ　加藤秀俊

教育の混迷と意欲の喪失には出口が見えないが、IT技術は「独学」の可能性を広げている。「やる気」という視点から教育の原点に迫る。　（竹内洋）

レトリックと詭弁　香西秀信

「沈黙を強いる問い」「論点のすり替え」など、議論に仕掛けられた巧妙な罠に陥ることなく、詐術に打ち勝つ方法を伝授する。

希望格差社会　山田昌弘

職業・家庭・教育の全てが二極化し、「努力は報われない」と感じた人々から希望が消えるリスク社会日本。「格差社会」論はここから始まった！

ことばが劈（ひら）かれるとき　竹内敏晴

ことばとこえとからだと、それは自分と世界との境界線だ。幼時に耳を病んだ著者が、いかにことばを回復し、自分をとり戻したか。

現人神の創作者たち（上・下）　山本七平

日本を破滅の戦争に引きずり込んだ呪縛の正体とは何か。幕府の正統性を証明しようとして、逆に「尊皇思想」が成立する過程を描く。　（山本良樹）

品切れの際はご容赦ください

異界を旅する能　安田登

「能」は、旅する「ワキ」と、幽霊や精霊である「シテ」の出会いから始まる。そして、リセットが鍵となる日本文化を解き明かす。（松岡正剛）

見えるものと観えないもの　横尾忠則

アートは異界への扉だ！　吉本ばなな、島田雅彦から黒澤明、淀川長治まで、現代を代表する十一人との、この世ならぬ超絶対談集。（和田誠）

ぼくなりの遊び方、行き方　横尾忠則

日本を代表する美術家の自伝。登場する人物、起こる出来事その全てが日本のカルチャー史！　壮大な物語はあらゆるフィクションを超える。（川村元気）

アンビエント・ドライヴァー　細野晴臣

はっぴいえんど、YMO……日本のポップシーンで様々な花を咲かせ続ける著者の進化し続ける自己省察。帯文＝小山田圭吾（テイ・トウワ）

skmt　坂本龍一とは誰か　坂本龍一＋後藤繁雄

坂本龍一は、何を感じ、どこへ向かっているのか？　独特編集者・後藤繁雄のインタビューにより、独創性の秘密にせまる。予見に満ちた思考の軌跡。

日本美術応援団　赤瀬川原平　山下裕二

雪舟の「天橋立図」凄いけどどこかヘン⁉　光琳にはなくて宗達にはある〝乱暴力〟とは？　教養主義にとらわれない大胆不敵な美術鑑賞法‼

建築探偵の冒険・東京篇　藤森照信

街を歩きまわり、古い建物、変わった建物を発見し調査する〝東京建築探偵団〟の主唱者による、建築をめぐる不思議で面白い話の数々。（山下洋輔）

普段着の住宅術　中村好文

住む人の暮らしにしっくりとなじむ、居心地のよい住まいを一緒に考えよう。暮らす豊かさの滋味を味わう建築書の名著、大幅加筆の文庫で登場。

私の好きな曲　吉田秀和

永い間にわたり心の糧となり魂の慰藉となってきた、最も愛着の深い音楽作品について、その魅力を語る、限りない喜びにあふれる音楽評論。（保苅瑞穂）

世界の指揮者　吉田秀和

フルトヴェングラー、ヴァルター、カラヤン……演奏史上に輝く名指揮者28人に光をあて、音楽の特質と魅力を論じた名著の増補版。（二宮正之）

モチーフで読む美術史2　宮下規久朗
絵の中に描かれた代表的なテーマを手掛かりに美術を読み解く入門書、第二弾。壁画から襖絵まで和洋幅広いジャンルを網羅。カラー図版250点以上！

しぐさで読む美術史　宮下規久朗
西洋美術では、身振りや動作で意味や感情を伝える。古今東西の美術作品を「しぐさ」から解き明かす『モチーフで読む美術史』姉妹編。図版200点以上。

印象派という革命　木村泰司
モネ、ドガ、ルノワール。日本人に人気の印象派の絵は、美術史に革命をもたらした芸術運動だった！近代美術史の核心を一冊で学べる入門書。

既にそこにあるもの　大竹伸朗
画家、大竹伸朗「作品への得体の知れない衝動」を伝える20年間のエッセイ。文庫では新作を含む木版画、未発表エッセイ多数収録。（森山大道）

眼の冒険　松田行正
森羅万象の図像を整理し、文脈を超えてあらわれる象徴的な意味を読み解くことで、デザイン的思考の臨界に迫る。図版資料満載の美装文庫。（鷲田清一）

シャネル　山田登世子
最強の企業家、ガブリエル・シャネル。彼女のブランドと彼女の言葉は、抑圧された世界の女性を鮮やかに解き放った――その伝説を一冊に。（鹿島茂）

グレン・グールド　青柳いづみこ
20世紀をかけぬけた衝撃の演奏家の遺した謎をピアニストの視点で追い究め、ライヴ演奏にも着目、つねに斬新な魅惑と可能性に迫る。（小山実稚恵）

音楽放浪記　世界之巻　片山杜秀
クラシック音楽を深く愉しみたいなら、歴史的な脈絡をつけて聴くべし！　古典から現代音楽を整理し、音楽の本質に迫る圧倒的な音楽評論。（三浦雅士）

音楽放浪記　日本之巻　片山杜秀
山田耕筰、橋本國彦、伊福部昭、坂本龍一……。伝統と西洋近代の狭間で、日本の音楽家は何を考えたか？稀代の評論家による傑作音楽評論。（井上章一）

歌を探して　友部正人
詩的な言葉で高く評価されるミュージシャン自ら選んだベストエッセイ。最初の作品集から書き下ろしまで。帯文＝森山直太朗（谷川俊太郎）

品切れの際はご容赦ください

ちくま文庫

ゴシックハート

二〇二二年十月十日　第一刷発行

著　者　高原英理（たかはら・えいり）
発行者　喜入冬子
発行所　株式会社　筑摩書房
東京都台東区蔵前二―五―三　〒一一一―八七五五
電話番号　〇三―五六八七―二六〇一（代表）
装幀者　安野光雅
印刷所　明和印刷株式会社
製本所　株式会社積信堂

乱丁・落丁本の場合は、送料小社負担でお取り替えいたします。
本書をコピー、スキャニング等の方法により無許諾で複製することは、法令に規定された場合を除いて禁止されています。請負業者等の第三者によるデジタル化は一切認められていませんので、ご注意ください。
© Eiri Takahara 2022 Printed in Japan
ISBN978-4-480-43845-4　C0195